This book is due for return on or before the last date shown below.

WID
07/21

7 JAN 2019

1 7 JAN 2019

18

D0812807

Henry Rousso, agrégé d'histoire et ancien élève de l'Ecole normale supérieure de Saint-Cloud, est chercheur à l'Institut d'histoire du temps présent (CNRS). Il se consacre depuis plusieurs années à l'histoire de l'Occupation. Il a publié plusieurs livres : *Un château en Allemagne* (Ramsay, 1980), réédité sous le titre *Pétain et la fin de la collaboration. Sigmaringen, 1944-1945* (Complexe, 1984); *La Collaboration* (MA, 1987); *Le Syndrome de Vichy de 1944 à nos jours* (Seuil, 1987, nouvelle édition, 1990). Il a participé à la direction de l'ouvrage *Le Régime de Vichy et les Français* (Fayard, 1992) et a été l'un des conseillers scientifiques du mémorial de Caen.

Tous droits de traduction et d'adaptation réservés pour tous pays
© Gallimard 1992
1er dépôt légal : novembre 1992
Dépôt légal : mai 1996
Numéro d'édition : 77111
ISBN : 2-07-053217-8
Imprimerie Kapp Lahure Jombart, à Evreux

LES ANNÉES NOIRES
VIVRE SOUS L'OCCUPATION

Henry Rousso

DÉCOUVERTES GALLIMARD
HISTOIRE

Le 16 juin 1940, un nouveau gouvernement est formé à Bordeaux par le maréchal Pétain. Aux alentours de minuit, l'illustre «vainqueur de Verdun», loin d'en appeler à l'ultime sursaut contre l'envahisseur, demande à l'Allemagne victorieuse les conditions d'un armistice. «Nous nous trouvons aujourd'hui, notera l'historien Marc Bloch, dans cette situation affreuse que le sort de la France a cessé de dépendre des Français.»

CHAPITRE PREMIER
LES FRANÇAIS EN L'AN QUARANTE

Le 21 juin 1940, à Rethondes, une caméra allemande filme la lecture des conditions d'armistice dans le wagon même où fut signé celui de 1918. Hitler (à droite sur la photo) fait face à une délégation française humiliée. On est loin de l'assurance affichée en 1939 (ci-contre).

DERNIÈRE EDITION

L'INTRANSIGEANT
le Journal de Paris

Lundi 4 Septembre
1939
Dernière

ABONNEMENTS 3 mois 6 mois 1 an
France et Colonies. 40 » 75 » 150 »
Étranger I 70 » 140 » 280 »
II 100 » 200 » 400 »

50ᶜ 100 RUE REAUMUR, PARIS 2ᵉ. BU POST. PAYT 2088-37
TELEGRAMMES : INTRAN-PARIS

TELEPH. GUTENBERG 80-60 ET TURBIGO 54-40 50ᶜ
INTER GUTENBERG 85 ET LA SUITE

LA GUERRE

LONDRES, depuis 11 heures...
PARIS, depuis 17 heures...

Le 3 septembre 1939, la France, quelques heures après l'Angleterre, se déclare en «état de guerre» avec l'Allemagne afin de remplir ses engagements envers la Pologne, envahie brutalement deux jours plus tôt. Après avoir laissé Hitler et les nazis, au pouvoir depuis 1933, réarmer le pays et entreprendre une stratégie de conquête territoriale en Europe, et après avoir accepté le démantèlement de la Tchécoslovaquie, par les accords de Munich du 30 septembre 1938, la France se trouve à nouveau engagée dans un conflit militaire qu'elle avait tenté d'éviter à tout prix.

Vingt ans plus tôt, la Grande Guerre avait causé la mort de près d'un million et demi de Français et laissé de profondes cicatrices. En 1939, une même génération affronte une seconde fois la perspective d'une déflagration dont on craint qu'elle ne soit, comme naguère, longue et meurtrière.

"Encore une heure... Les aiguilles tournent. Plus que dix minutes et tout sera consommé. Ça y est! Le délai est écoulé. Nous sommes passés de l'état de paix à l'état de guerre. Je m'attendais à percevoir un grondement sourd, une commotion souterraine. Rien n'est changé. Pas une feuille n'a bougé.**"**

Jacques Benoist-Méchin,
A l'épreuve du temps

LA FRANCE
et l'ANGLETERRE
sont en éta
AVEC L'A

«On ira pendre notre linge sur la ligne Siegfried»

Les hostilités débutent par une longue période d'attente, la «drôle de guerre». Jusqu'en mai 1940, la frontière franco-allemande baigne dans un quasi-silence. L'Allemagne livre combat en Pologne et en Norvège, et la France refuse de prendre l'initiative d'une attaque frontale, se croyant à l'abri derrière sa ligne Maginot. Construite face à la «ligne Siegfried», la ligne Maginot est un ensemble fortifié réputé «infranchissable». Elle symbolise la stratégie défensive adoptée depuis les années 1920, à l'image d'un pays replié sur lui-même, mais toujours empreint d'un sentiment de puissance impériale.

Un pays en dépression

Cet optimisme de circonstance masque pourtant les incertitudes d'une crise qui dure depuis le début des années 1930. La France, au contraire de l'Allemagne, est un pays qui vieillit et perd de son dynamisme à cause de la baisse continue de la natalité. La grande dépression de 1929, qui la touche avec un certain

Une affiche de 1939 célèbre la solidarité entre le front et l'«arrière». Elle évoque les souvenirs de la Grande Guerre, l'«Union sacrée» et le vin distribué dans les tranchées.

de guerre
L'ALLEMAGNE

retard, creuse les différences sociales. Les revenus réels des salariés, des paysans et des classes moyennes urbaines, principal soutien de la IIIe République, diminuent sensiblement. Le chômage, phénomène méconnu jusque-là, touche en 1936 près d'un million de personnes. La crise économique n'a épargné qu'une mince frange de la société, dont les rentiers et les professions libérales.

Elle se double d'une crise politique et morale : instabilité des gouvernements, incapacité de trouver une majorité politique stable de droite ou de gauche, scandales financiers. Les ligues antiparlementaires et les mouvements xénophobes et antisémites gagnent de l'influence. Entre l'admiration que suscite la révolution communiste, d'un côté, et la fascination mêlée de crainte qu'exerce le fascisme de l'autre, le système républicain paraît usé. Face à ces idéologies nouvelles, ses valeurs démocratiques et humanistes semblent inaptes à répondre aux défis intellectuels du siècle. Né d'un formidable espoir, le Front populaire de 1936, alliance des communistes,

L'avènement du nazisme a bouleversé les rapports de forces traditionnels. La droite nationaliste, donc en principe germanophobe, se fait «pacifiste» pour la circonstance afin de mieux dénoncer le parti communiste et le Front populaire (à gauche, affiche de *L'Espoir français*, 1936). En effet, les socialistes et les communistes (plus encore que les radicaux) sont restés partagés entre leurs sentiments antifascistes, ciment de leur union, et leur attachement viscéral à la paix (à droite, affiche de la CGT, mai 1938).

des socialistes et des radicaux, déçoit par son impuissance à l'extérieur et son incapacité à réformer un capitalisme générateur d'égoïsmes et d'inégalités. Ses avancées sociales provoquent la peur et un ressentiment durable au sein des classes possédantes.

«Tout ça, ça fait d'excellents Français»

La crise de Munich, en septembre 1938, met à nu tous les blocages de la société et bouleverse le paysage politique. Le gouvernement, les parlementaires, les syndicats, les partis, le pays tout entier se divise entre «pacifistes», «bellicistes» et une grande masse instable d'indécis. «Plutôt Hitler qu'un nouveau Front populaire», murmure-t-on à droite, au

"Le capitaine était pour le diocèse et le lieutenant boulottait du curé, [...] le caporal, inscrit sur toutes les listes, et le 2e classe au PMU. Et tout ça, ça fait d'excellents Français, d'excellents soldats qui marchent au pas, en pensant que la République, c'est encore le meilleur régime ici-bas. Et tous ces gaillards, qui, pour la plupart, n'étaient pas du même avis en politique, les v'là tous d'accord, quel que soit

C'est à 1 heure 40 ce matin que l'ACCORD des QUATRE a été signé à Munich

LA PAIX !

Demain, 1er OCTOBRE commencera l'évacuation des régions sudètes

M. Edouard Daladier est arrivé cet après-midi à 15 heures au Bourget

sein de l'Action française, pourtant germanophobe, ou chez les conservateurs, plus inquiets de la montée du communisme que du danger nazi. Une partie des socialistes partage cette analyse, par conviction pacifiste ou par anticommunisme.

VIVE LA PAIX

leur sort : ils désirent tous désormais qu'on nous foute une bonne fois la paix!"
Maurice Chevalier, 1939

Les radicaux, dont Edouard Daladier, signataire des accords de Munich, craignent que les Français, traumatisés par la boucherie de 14-18, ne sanctionnent un gouvernement qui menacerait la paix fragile qui règne alors en Europe. Les «bellicistes», moins nombreux, forment une alliance tout aussi hétérogène : rien de commun entre les quelques voix qui, à droite, s'insurgent contre la renaissance de l'hégémonie allemande et le parti communiste qui dénonce le fascisme et la menace que l'Allemagne hitlérienne fait peser sur l'URSS,

Le Petit Journal

ÉDITION DE PARIS

DIRECTEUR : LA ROCQUE

APRÈS L'AGRESSION ALLEMANDE CONTRE LA POLOGNE

MOBILISATION GÉNÉRALE
en FRANCE et en GRANDE-BRETAGNE

À Berlin, les ambassadeurs de France et d'Angleterre font, tour à tour, une démarche auprès de M. von Ribbentrop pour demander la cessation de toute action agressive contre la Pologne

Les Chambres se réunissent cet après-midi - L'état de siège est décrété

Le gauleiter FORSTER · À TOUTE LA FAMILLE P.S.F. PAR LE P.S.F. À TOUTE LA POPULATION FRANÇAISE · **La frontière**

«patrie des prolétaires». A la veille de la guerre, les divisions internes pèsent donc plus lourd que la conscience du danger extérieur.

Entre résignation et résolution

En dépit du sentiment pacifiste dominant, les Français acceptent la fatalité d'une nouvelle guerre, partagés entre la résignation et la résolution. La France de 1939-1940 est traversée par une crise d'identité nationale, mais elle n'est pas ce pays condamné, voué inéluctablement à la défaite, décrit tant de fois après 1940. Les derniers mois de la IIIe République connaissent un timide relèvement économique et une relative stabilité politique. Aux premières heures de la guerre, certains espèrent même une nouvelle «union sacrée», à l'image de celle de 1914. Seuls les communistes en sont d'office exclus car leurs organisations ont été dissoutes après la signature du pacte de non-agression germano-soviétique, le 23 août 1939 : par fidélité à l'URSS, et non sans de vives tensions internes, les communistes ont radicalement changé leur position, dénonçant désormais «la guerre impérialiste».

En septembre 1939, la mobilisation générale se fait sans joie mais sans réticences non plus. «La France commande», telle est l'injonction patriotique que

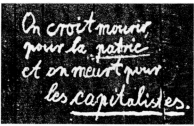

De 1939 à 1941, les communistes ont renoué avec le pacifisme idéologique de 1917, une ligne tortueuse exploitée par l'ennemi (ci-dessus, slogan photographié par la Wehrmacht, lors de la débâcle).

lancent les dirigeants. Ce n'est qu'au fil des mois, après une longue inactivité sur le front, que les esprits commencent à s'émousser. En réalité, c'est surtout au sein des cadres et des officiers qu'existent des incertitudes car ils sont mal préparés et manquent de combativité. A l'arrière et dans l'opinion, la léthargie de la «drôle de guerre» a fait s'éloigner la perspective de réels combats. La défaite brutale et soudaine n'en sera que plus terriblement ressentie.

Les conceptions de 14 donnaient au fantassin la priorité sur les armes motorisées; elles persistent en 39 : ci-dessus, «la position du tireur assis : à l'orée du bois, d'où la vue peut s'étendre au loin, un soldat, son fusil mitrailleur à côté de lui, garde le chemin».

La grande débâcle

Le 10 mai 1940, la Wehrmacht lance
l'offensive à l'Ouest. La «guerre
éclair» *(Blitzkrieg)* conduite par son
aviation et ses chars balaie en six
semaines les armées françaises.
Dans la nuit du 13 au 14 mai, les
divisions blindées allemandes
franchissent la Meuse à Sedan,
prenant les troupes françaises à
revers : la Ligne Maginot a été
contournée sur son flanc ouest, en
forêt des Ardennes, son prétendu
prolongement «naturel». Un mois
plus tard, les Allemands sont à Paris
et Hitler peut trépigner de joie
(image célèbre mais truquée) :
le 22 juin 1940,
la France,
écrasée, vient
de signer
l'armistice.

La plus grave défaite de l'histoire de France est consommée. La guerre bonasse et tranquille des premiers mois s'est muée en bain de sang. Les pertes, côté français, sont terribles : 92 000 tués et 200 000 blessés, bilan supérieur à celui des plus violents combats de 1914 et 1916. Ces pertes témoignent d'une réelle volonté de se battre parmi les régiments qui ont pu effectivement livrer bataille face à un adversaire mieux préparé. Près de deux millions d'hommes – un chiffre hors normes dans les annales de la guerre – épuisés, démoralisés, parfois capturés sans combat par compagnies entières à cause des carences du commandement, sont faits prisonniers. La plupart seront transférés en Allemagne et ne seront libérés qu'en 1945, après une longue absence durement ressentie par les familles et les proches.

Un sentiment de panique s'empare de la population. Au Nord et à l'Est, devant l'avance fulgurante de la Wehrmacht, des régions entières se vident de leurs habitants. En septembre 1939, puis après le 10 mai 1940, l'évacuation programmée vers le Centre et le Sud avait commencé dans un calme relatif.

"En 1933, un président du Conseil français aurait dû dire (et je l'aurais dit si j'avais été à sa place) : «Cet homme qui est devenu Chancelier du Reich, c'est celui qui a écrit *Mein Kampf* [...]. Cet homme ne peut être toléré à nos frontières. Ou il disparaît, ou nous marchons contre l'Allemagne.» Cela eût été parfaitement logique, mais on y a renoncé. On nous a laissé faire, on nous a permis de traverser la zone de risque ; nous avons pu éviter les écueils, et quand nous étions arrivés au bout, que nous étions bien armés, mieux qu'eux, ils ont commencé la guerre.**"**
Goebbels, 5 avril 1940

L'échec des défenses françaises sur la Somme, le 6 juin, puis l'annonce d'une capitale déclarée ville ouverte et désertée par le gouvernement, qui a quitté Paris le 10 juin et rejoint Bordeaux cinq jours plus tard, déclenchent cette fois une grande peur dans les régions proches du front. Alimentée par les rumeurs

Le sort des deux millions de prisonniers obsédera les esprits durant cinq ans. Ces hommes vivront en Allemagne une expérience fort

"JE SUIS SATISFAIT DE LA MANIERE DONT LA BATAILLE S'EST ENGAGEE "

les plus folles et nourrie des premiers récits déformés des exactions de l'ennemi, elle rappelle étrangement la Grande Peur de 1789.

différente de leurs compatriotes occupés.

Huit millions de réfugiés se déversent sur les routes, à pied, à cheval, dans des voitures qui tombent vite en panne d'essence, ou dans des convois ferroviaires surchargés. Paris se serait provisoirement dépeuplé de plus de la moitié de ses habitants.

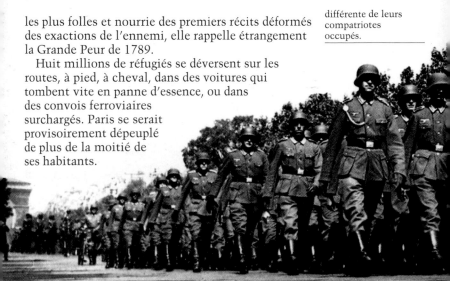

Amplifiant la panique, la Luftwaffe attaque les interminables colonnes de civils, faisant de très nombreuses victimes. Le pays, désorganisé, livré à lui-même, abandonné par tout ce qui compte d'autorité, perd d'un coup ses repères.

Une nation au bord du gouffre

Plus d'armée, plus de police, plus d'administration, un gouvernement en cavale, des informations éparses et l'essentiel qui commence à manquer, bref plus d'Etat : tel est le sentiment qui domine en ces semaines tragiques. Fait unique dans l'histoire récente, un grand pays industriel, une puissance militaire et impériale, une civilisation rayonnante s'est écroulée comme un château de cartes, laissant un peuple de quarante millions d'âmes devant un gouffre effroyable. Le cauchemar ne réside pas tant dans la défaite militaire –

Le 7 juin 1940, les défenses sur la Somme sont déjà percées, mais on espère un miracle (titre à gauche). Le 14, la Wehrmacht est à Paris (ci-dessous, défilé triomphal en juin 1940).

ce n'est pas la première – que dans cet effondrement total de l'Etat et de la Nation.

Pourtant, le cataclysme de 1940 n'était pas une fatalité. La déroute devant les armées allemandes a résulté d'abord d'une erreur stratégique cruciale : le choix d'une guerre de position défensive face à un adversaire offensif et belliqueux. La France était mieux armée qu'on ne l'a écrit, parfois même surpassant techniquement son adversaire, mais son armement correspondait à ses orientations stratégiques : refusant d'être un agresseur, elle a préféré construire une ligne Maginot plutôt que des divisions blindées ou des escadrilles de chasse à vocation offensive. Dénoncé depuis longtemps par le colonel de Gaulle, ce choix fondamental n'était pas le seul fait d'une caste militaire en retard d'une guerre mais participait du pacifisme qui imprégnait l'opinion depuis 1918. Les faiblesses, les divisions et le discrédit de la IIIᵉ République ont certes fragilisé le pays, mais ils ne constituent pas la cause première de la défaite.

En revanche, l'ampleur inouïe de la débâcle, l'affolement des citoyens, la démission des élites et l'impuissance à reforger un semblant d'unité pour défendre la patrie en danger témoignent à quel point le sentiment d'identité nationale s'est érodé.

D urant toute la guerre, l'image de propagande joue un rôle crucial : une brochure pour enfants datée de 1939 détaille les qualités techniques – réelles – d'un bombardier français (ci-dessus); un dessinateur attitré de la Wehrmacht croque des scènes de la débâcle.

«Que cesse ce cauchemar», telle est l'aspiration qui domine. La peur du vide jette ainsi les Français dans les bras d'un vieillard qui commence, à quatre-vingt-quatre ans, une carrière de dictateur.

«Il s'agit de savoir si on se bat ou on ne se bat pas»

Tandis que les Français se ruent par millions sur les routes, une polémique acharnée éclate au sein du gouvernement, entre Paris et Bordeaux, sous l'œil atterré de l'allié britannique. Politiques et militaires s'affrontent sur la nécessité d'arrêter ou non le conflit. On se lance à la figure la responsabilité du désastre.

La querelle dépasse de loin l'enjeu militaire et revêt un aspect politique et idéologique. Que la bataille de France soit perdue, personne ne peut le nier. En revanche faut-il ou non poursuivre la guerre en Afrique du Nord? Continuer la guerre dans l'Empire signifie d'abord laisser les populations de la métropole isolées face à l'ennemi, un choix moralement difficile à assumer. Cela signifie ensuite signer une capitulation sur le terrain afin d'éviter un carnage inutile parmi les soldats. La capitulation ne mettrait pas un terme au conflit entre la France et l'Allemagne : elle ne serait qu'une reconnaissance par l'autorité militaire – et non par le gouvernement – de la perte d'une bataille. Paul Reynaud, le président du Conseil, quelque peu dépassé par les événements, défend néanmoins cette position. Le général de Gaulle, entré au gouvernement le 5 juin 1940, s'embarrasse de moins de subtilités :

❝Infiniment plus que leur nombre, ce sont les chars, les avions, la tactique des Allemands qui nous ont fait reculer [...]. L'espérance doit-elle disparaître ? La défaite est-elle définitive ? Non !❞
De Gaulle,
18 juin 1940

«Il s'agit de savoir si on se bat ou on ne se bat pas.» Mais rares sont ceux qui font encore preuve d'une telle énergie face à l'ampleur de la déroute.

Un armistice «salvateur»

Ces quelques voix sont couvertes par les partisans d'un armistice, c'est-à-dire une suspension définitive des hostilités entre les deux pays, prélude à une paix séparée. L'armistice, qui doit être signé par le gouvernement au nom de la Nation, et non par l'armée, épargne aux populations la prolongation d'une guerre que beaucoup estiment perdue, à tort ou à raison. C'est l'un des arguments forts avancés par ses défenseurs. Néanmoins, le choix de l'armistice, qui l'a finalement emporté, repose aussi sur d'autres considérations.

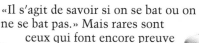

Le 5 juin 1940, Paul Reynaud présente le dernier remaniement de son gouvernement : en uniforme, le général de Gaulle, nommé sous-secrétaire d'Etat à la Défense. A gauche, le maréchal Pétain occupe depuis le 18 mai le poste inusité de vice-président du Conseil. Certains pensent qu'il joue le rôle d'une «potiche».

VENEZ A MOI

«Je suis ici pour défendre l'honneur de l'armée, le gouvernement a pris la responsabilité de la guerre, à lui de prendre la responsabilité de l'armistice» : c'est la réponse du généralissime Weygand, qui refuse le principe d'une capitulation, à Paul Reynaud. Exprimant le sentiment de nombreux officiers supérieurs, le responsable suprême des armées françaises rompt avec l'un des fondements de la tradition républicaine : la soumission du pouvoir militaire au pouvoir civil.

Appelé au gouvernement le 18 mai 1940, le maréchal Pétain devait en principe, de par son prestige unanimement reconnu, symboliser comme naguère, à Verdun, le sursaut contre l'envahisseur. Il se range pourtant très vite à l'idée d'un armistice mais pour d'autres raisons : «Je suis d'avis de ne pas abandonner le sol français et d'accepter la souffrance qui sera imposée à la patrie et à ses fils. La renaissance française sera le fruit de cette souffrance [...]. L'armistice est à mes yeux la condition nécessaire de la pérennité de la France éternelle», déclare-t-il solennellement le 13 juin 1940, menaçant de démissionner. Convaincu d'être un recours providentiel, Pétain considère ouvertement que la défaite offre une opportunité

Né en 1856, Pétain reste un homme du XIXᵉ siècle. En 1916-1917, il apparaît comme un recours, celui qui sauve Verdun et redonne le moral aux troupes. En mai 1940, parce qu'il est respecté à droite comme à gauche, Paul Reynaud fait à nouveau appel à lui. Sans illusions, car son arrivée au pouvoir est placée sous le signe de l'équivoque. On attend le sursaut, il défend l'armistice. Les Français comptent sur lui pour arrêter le cauchemar; il leur proposera un nouveau régime, répressif et autoritaire. Tragique malentendu ou abus de confiance ? Le débat dure encore.

politique. Il ne se sent aucunement responsable du désastre bien qu'il ait été l'un des principaux inspirateurs de la doctrine militaire de l'Etat-major. Le 16 juin 1940, Paul Reynaud, impuissant et isolé, lui laisse son poste de président du Conseil.

Vichy : rien ne va plus, les jeux sont faits

L'armistice ne signifie donc pas seulement la fin des combats, souhaitée par une grande majorité, mais un tournant politique décisif, qui préfigure la naissance, un mois plus tard, d'un nouveau régime. Situé dans la perspective d'une paix prochaine avec l'ennemi extérieur, il constitue implicitement une déclaration de guerre contre l'«ennemi intérieur». Ses partisans ne cessent de dénoncer de plus en plus violemment les «tares» de la République, le Front populaire, les communistes, les juifs et les francs-maçons, bouc-émissaires depuis longtemps désignés.

Le chef du nouvel «Etat français» s'établit à Vichy. La «reine des villes d'eaux» s'est transformée en capitale provisoire, dans l'improvisation et le désordre le plus total. On installe les ministères dans les hôtels de luxe, tout en attendant un hypothétique retour à Paris, qui ne se fera pas. Le gouvernement nommera même un «ambassadeur à Paris», auprès de l'occupant. Le nouveau régime restera ainsi dans l'histoire comme celui de «Vichy», au grand désespoir des habitants de la cité thermale.

Le 29 juin 1940, le gouvernement et les parlementaires déménagent à Vichy, petite ville thermale de l'Allier, choisie pour sa situation centrale et son infrastructure hôtelière. Le 10 juillet 1940, dans la grande salle du casino, l'Assemblée nationale (députés et sénateurs) vote les pleins pouvoirs au maréchal Pétain, afin «de promulguer par un ou plusieurs actes une nouvelle constitution de l'Etat français [...] qui devra garantir les droits du travail, de la famille, de la patrie». Sur un effectif officiel de 932 députés et sénateurs, 569 ont voté pour, venant de toutes les sensibilités politiques, 80 ont voté contre, essentiellement des socialistes et des radicaux, et 20 se sont volontairement abstenus. Les communistes ne siègent plus depuis octobre 1939, quant au reste des parlementaires, ils n'ont pu être présents, ce jour-là, à Vichy.

Le choix de l'armistice s'est mué, quelques semaines plus tard, en révision constitutionnelle, sous l'œil du vainqueur.

La IIIe République est morte dans une apparence de légalité, faiblement défendue par des parlementaires en proie à la peur et au désarroi, et dans l'indifférence générale d'une population beaucoup plus inquiète de sa survie immédiate.

«Un ordre nouveau commence [...].
C'est à un redressement
intellectuel et moral que, d'abord,
je vous convie.» (25 juin 1940)
«C'est dans l'honneur et pour maintenir
l'unité française [...] dans le cadre d'une
activité constructive du nouvel ordre
européen, que j'entre aujourd'hui dans
la voie de la collaboration.»
(30 octobre 1940)

Philippe Pétain

CHAPITRE II
UNE «FRANCE NOUVELLE»

"Révolution nationale» et «Collaboration d'Etat» sont les deux mamelles de Vichy, régime fondé sur le culte de la personnalité (à gauche, l'hymne maréchaliste). Maigre palliatif à la disette en beurre, œufs et fromages.

Un pays éclaté

Pour des millions de Français, la principale «nouveauté» ne réside pas dans les appels incessants au «redressement national» lancés sur les ondes de la radio de Vichy mais bien plutôt dans l'éclatement et l'occupation des trois cinquièmes du territoire. La convention d'armistice divise le pays en deux grandes zones : la zone non occupée, dite «zone nono», et une vaste zone occupée sous le contrôle d'une administration militaire allemande installée à Paris, à l'hôtel Majestic. Entre les deux, la ligne de démarcation dessine une frontière intérieure de près de 1 000 kilomètres qui sera des mois durant presque hermétique. La zone occupée est elle-même morcelée : les départements du Nord et du Pas-de-Calais sont rattachés à l'administration militaire allemande de Bruxelles, tandis que trois départements alsaciens et lorrains (la Moselle, le Haut-Rhin et le Bas-Rhin) sont soumis à une germanisation forcée sous la férule d'un *gauleiter*, autant de signes qui préfigurent de futures annexions et le démantèlement du territoire français.

A l'heure de Berlin

Cet éclatement a de lourdes conséquences sur la vie des Français. Il désorganise encore plus l'activité économique, déjà en grande partie bouleversée par la défaite et il accroît les difficultés de ravitaillement. La zone occupée comprend en effet la plupart des grands centres industriels et agricoles : le Nord, l'Est,

Durant l'exode, la France du Nord et de l'Est s'est déversée dans la France du Sud.

LEGENDE
Limite de Zone Occupée et non Occup
Zone Interdite
Zone Centre
Zone Région Parisienne
Zone Nord
Route Principale
Route Secondaire

Des Alsaciens se réfugient à Bellac, en Haute-Vienne (ci-dessus).

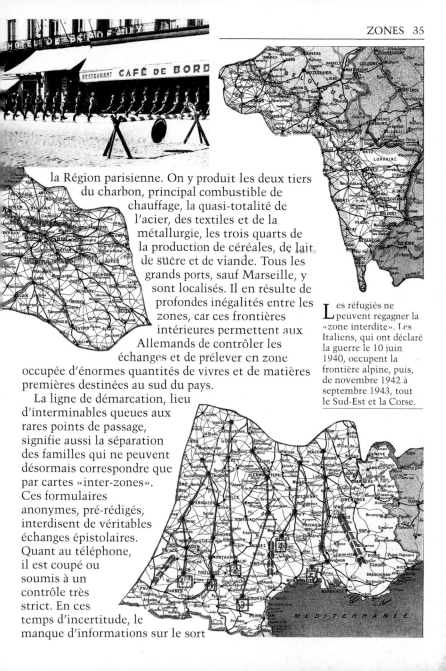

la Région parisienne. On y produit les deux tiers du charbon, principal combustible de chauffage, la quasi-totalité de l'acier, des textiles et de la métallurgie, les trois quarts de la production de céréales, de lait, de sucre et de viande. Tous les grands ports, sauf Marseille, y sont localisés. Il en résulte de profondes inégalités entre les zones, car ces frontières intérieures permettent aux Allemands de contrôler les échanges et de prélever en zone occupée d'énormes quantités de vivres et de matières premières destinées au sud du pays.

La ligne de démarcation, lieu d'interminables queues aux rares points de passage, signifie aussi la séparation des familles qui ne peuvent désormais correspondre que par cartes «inter-zones». Ces formulaires anonymes, pré-rédigés, interdisent de véritables échanges épistolaires. Quant au téléphone, il est coupé ou soumis à un contrôle très strict. En ces temps d'incertitude, le manque d'informations sur le sort

L es réfugiés ne peuvent regagner la «zone interdite». Les Italiens, qui ont déclaré la guerre le 10 juin 1940, occupent la frontière alpine, puis, de novembre 1942 à septembre 1943, tout le Sud-Est et la Corse.

des proches pèse sur le moral. Les habitants de chaque zone se trouvent dans l'ignorance complète de ce qui se passe dans les zones voisines, ce qui crée de sensibles différences sur la manière d'appréhender les choses. Enfin, les Français de la zone occupée vivent à l'heure allemande car toutes les horloges y ont été avancées d'une heure, pour être à l'heure de Berlin : il fait encore nuit lorsqu'on se rend désormais à l'école ou au travail, avant que la journée ne se termine par un couvre-feu.

Le travail, la famille, la patrie... et l'exclusion

En dépit de cette situation désastreuse, le régime de Vichy entreprend dès juillet 1940 une réforme de la société française, de ses structures et de ses valeurs, sous l'emblème de la «Révolution nationale». Le terme, loin d'être un mot d'ordre de circonstance, recouvre une authentique révolution culturelle. Celle-ci s'inspire des vieilles conceptions contre-révolutionnaires, reprises par l'Action française, et des doctrines anti-libérales qui ont éclos dans les années 1930. Elle puise également aux sources du fascisme même si Vichy s'en distingue sur plusieurs points essentiels : refus d'un parti unique de masse ou absence – et pour cause – d'une volonté de conquête territoriale. Le slogan «Travail, Famille, Patrie» remplace désormais le triptyque républicain «Liberté, Egalité, Fraternité».

Les termes fétiches du pétainisme ne sont anodins

TRAVAIL FAMILL

Telle est aujourd'hui, Français, la tâche à laquelle je vous convie.

Ph. Pétain

Pressé d'abattre la République – on enlève bientôt les statues de «Marianne» (à droite, à Paris, mairie du IXe) –, le gouvernement de la défaite prépare déjà une nouvelle constitution tandis que les réfugiés tentent de regagner la zone occupée par la ligne de démarcation (ci-dessus).

ATRIE

qu'en apparence. Ils dessinent une vision du monde dans laquelle les individus ne sont plus libres et égaux en droit, ni dépositaires de la souveraineté, mais subordonnés hiérarchiquement à des «corps naturels», sous l'autorité d'un chef suprême.

«Travail» : les individus, loin d'appartenir à des classes sociales aux fortunes inégales et aux destins antagonistes, doivent s'insérer de gré ou de force dans une «communauté» professionnelle, de type «corporatiste» où patrons, cadres et ouvriers d'une même branche sont invités à vivre en bonne entente, sous l'autorité des premiers. C'est le sens de la Charte du travail, promulguée en 1941.

❝ Nous avons passé la ligne à Moulins, après avoir attendu notre tour pendant des heures à Saint-Pourçain. Nulle part je n'ai vu sur les routes des traces de la guerre, mais surtout les traces de la panique, voitures abandonnées, pillées. Il n'y a pas eu de guerre. La peur l'avait rendue impossible. Jamais la France, le «jardin de Candide», ne m'avait paru si belle [...]. Qu'elle était belle cette campagne dorée, coupée de canaux, de rivières fumantes, avec ces grandes masses vertes de forêts à l'horizon. [...] Çà et là, au carrefour des routes, sur les ponts, un personnage de Guignol, vêtu de gris, avec un petit sabre et un petit fusil, rappelait la fable historique qui prétend bousculer, ces années-ci, une réalité millénaire. **❞**

Jean Guéhenno, *Journal des années noires*, septembre 1940

«Famille» : étendant le Code de la famille nataliste de 1939, l'idéologie nouvelle la considère comme cellule de base de la société. Ses membres n'y ont pas un statut égal : le père, le chef de famille, a des droits particuliers. Quant aux femmes, elles sont invitées à rester au foyer. L'avortement ou l'homosexualité sont sévèrement réprimés.

«Patrie» : dans cette doctrine d'essence nationaliste, la Nation est la communauté suprême. Elle n'est plus l'expression d'une volonté commune, librement consentie, de vivre ensemble mais un lien physique, «organique», qui rattache tout individu à un sol et une «race».

Contraire aux idéaux universalistes de 1789,

❝Pour avoir chassé Dieu de l'école [...], pour avoir supporté une littérature malsaine, la traite des Blanches, pour la promiscuité dépravante des ateliers, des bureaux, des usines, Seigneur, nous vous demandons pardon. Quel usage avons-nous fait de la victoire de 1918 ? Quel usage aurions-nous fait d'une victoire facile en 1940 ?❞
Mgr Saliège, archevêque de Toulouse, *La Croix*, 28 juin 1940

Il n'y aura pas de paix sociale tant que durera l'injustice de la condition prolétarienne.
Ph. Pétain

CONTRE CETTE INJUSTICE :
LA
CHARTE DU TRAVAIL

ce système de valeurs cohérent se définit pas ses exclusions : «Le nouvel Etat bannit en son sein, ou dépouille de leur influence dirigeante, les individus ou groupes qui, pour des raisons de race ou de conviction, ne peuvent ou ne veulent souscrire au primat de la patrie française : étrangers, juifs, francs-maçons, communistes, internationalistes de toute origine et de toute obédience», écrit René Gillouin, un des

ÊTES-VOUS
PLUS FRANÇAIS
QUE LUI ?

LA LÉGION FRANÇAISE
VEUT FAIRE
LA RÉVOLUTION
POUR LA
FAMILLE

Le régime s'affiche «national» et «social». La Charte du travail (à gauche) veut détacher la classe ouvrière des syndicats. La Légion française des combattants (ci-dessous) regroupe les associations d'anciens combattants. En l'absence de parti unique, elle a mission de diffuser les valeurs nouvelles. Mais les Allemands l'interdisent en zone occupée (à gauche, route barrée par la ligne de démarcation). Cantonnée à la zone Sud, la Révolution nationale ne pourra pas vraiment s'enraciner.

principaux doctrinaires de la Révolution nationale.

«Nous, Maréchal de France...»

Le régime interdit toute vie politique. Les partis traditionnels cessent leurs activités, les syndicats sont dissous, les Chambres mises en congé, la presse contrôlée et soumise à la censure tandis que commence – hors de toute pression de l'occupant –

la répression contre les opposants politiques et la
persécution de certaines catégories de citoyens :
dès juillet 1940, les juifs français et étrangers sont
victimes de lois antisémites et raciales.

«Nous, Maréchal de France, Chef de l'Etat
français, le Conseil des ministres entendu,
décrétons...» C'est ainsi que débutent toutes les
«lois», car les pouvoirs exécutif, législatif et judiciaire
se trouvent dorénavant entre les mains d'un seul
homme. Les hauts fonctionnaires, dont les préfets, les
militaires et les magistrats, sont contraints de prêter
serment à Pétain. Les conseils généraux élus sont
remplacés par des «commissions administratives»,
contrôlées par les préfets. La défaite, la démission
parlementaire, les ambitions de quelques-uns ont
accouché d'une dictature.

Reconstruire dans les flammes

«Notre erreur a été de croire qu'on pouvait relever un
pays avant de le libérer. On ne reconstruit pas sa
maison pendant qu'elle brûle», lancera à la BBC, en
1943, François Valentin, pétainiste de la première
heure passé à la dissidence. Pas un secteur de l'Etat
ni de la société n'échappe à la frénésie de
transformation du nouveau pouvoir, pressé de
rompre avec l'«ancien régime» républicain et

les valeurs démocratiques. Certaines réalisations, toutefois, dont l'emprise de plus en plus grande de l'Etat sur l'économie et la société, relèvent moins de l'idéologie que d'une continuité historique que les circonstances ont permis d'accélérer.

Le régime met ainsi sur pied une économie dirigée dans laquelle la production et les échanges sont sous la tutelle d'une administration tentaculaire, au profit de certaines grandes entreprises et surtout de la bureaucratie militaire allemande.

Il fonde une «corporation paysanne» et de nombreux ordres professionnels (médecins, pharmaciens, dentistes, architectes, experts-comptables, etc). En matière d'éducation, les premières années sont marquées par une réaction cléricale avant de s'orienter vers une réforme du système

A l'heure où la résistance armée commence, le régime impose aux préfets de prêter serment au chef de l'Etat (ci-dessus). Les préfets doivent informer le gouvernement des réactions de la population et assurer le «maintien de l'ordre». En zone occupée, ce sont les principaux interlocuteurs des Allemands. Surtout, depuis octobre 1940, ils sont devenus les «seuls représentants de l'Etat» au plan local, à l'encontre de toute la tradition républicaine. La dictature pétainiste ne se contente pas de slogans (au centre, une brochure antimaçonnique). Elle n'est pas le seul fait d'une situation exceptionnelle; c'est une rupture politique qui se veut durable.

scolaire : rétablissement des écoles congréganistes et d'un enseignement religieux en option dans les écoles publiques, ou encore suppression des écoles normales, afin de limiter l'influence des «instituteurs marxistes».

Pour remplacer le service militaire et occuper les jeunes démobilisés après juin 1940, et parce qu'il caresse le rêve d'une jeunesse «saine» et «unie», le régime crée des «Chantiers de jeunesse». A partir de janvier 1941, tous les garçons de vingt ans de la zone non occupée sont contraints d'y suivre un séjour de huit mois, afin d'y célébrer les joies de la nature et le catéchisme du Maréchal rédempteur.

Tout un réseau de propagande est mis en place afin de diffuser les valeurs nouvelles, l'amour du chef, l'obéissance et la discipline. Les meilleurs éléments, destinés à propager la foi maréchaliste, sont formés dans des «écoles de cadres» ou recrutés parmi les anciens combattants, invités à s'enrôler dans la «Légion française des combattants».

"Il me faut mieux que l'obéissance de la jeunesse, il me faut sa conviction ardente, sa volonté d'action et sa foi.**"**
      Pétain, 4 avril 1943

Une stratégie : la collaboration d'Etat

L'armistice impliquait par définition une négociation et une collaboration avec le vainqueur puisque celui-ci occupe un Etat resté en théorie souverain. Le gouvernement français doit dans ce cadre partager avec lui la tâche de gérer le pays, et la réussite de sa

En 1940, la politique d'encadrement des jeunes pouvait paraître naïve et inoffensive. Après l'instauration du STO en février 1943, elle s'est muée en piège pour de nombreux jeunes Français.

SECRÉTARIAT GÉNÉRAL DE LA JEUNESSE
BUREAU DE LA PROPAGANDE

JEUNES !

LE MARÉCHAL
A CRÉÉ POUR VOUS

DES CENTRES RURAUX
DES ATELIERS DE JEUNESSE

DE 14 A 17 ANS :
CENTRES D'APPRENTIS

DE 17 A 21 ANS { CENTRES RURAUX
{ ATELIERS DE JEUNESSE

Inscrivez-vous :

a destinée des mouvements de jeunesse illustre les contradictions et les ambiguïtés de l'époque. Avant guerre, les scouts, éclaireurs, membres des auberges de la jeunesse et autres associations catholiques ont connu un réel essor. Dans le désarroi né de la défaite, tandis que des dizaines de milliers d'adolescents sont livrés à eux-mêmes, Vichy tente de fédérer ces mouvements et de promouvoir une «politique de la jeunesse», à des fins morales et idéologiques, en cherchant à former des élites nouvelles (à gauche, une «école de cadres»). Mais s'ils sont animés d'un maréchalisme sincère, voire dévot, ces mouvements entretiennent un sentiment patriotique qui les conduira peu à peu à rejeter la collaboration d'Etat, sauf quelques extrémistes, tels les «Jeunes du Maréchal» (ci-dessous) qui évolueront vers le collaborationnisme.

Montoire-sur-le-Loir, 24 octobre 1940

« *Quand j'ai vu le maréchal Pétain face à face avec le Führer Adolf Hitler, j'ai compris que l'on pourrait autrement que par des batailles régler le sort de nos deux nations.* »

(Pierre Laval)

Révolution nationale dépend de la marge de manœuvre que celui-ci lui laisse. La stratégie connue sous le nom de «collaboration d'Etat» résulte directement de ces contraintes et de ces ambitions. Elle se distingue nettement par sa nature et par son importance des autres formes de collaboration : la collaboration idéologique des partisans du nazisme (les «collaborationnistes»), très minoritaires, la collaboration économique plus ou moins inévitable, ou encore, plus diffuse, la collaboration individuelle, motivée par l'intérêt, la lâcheté ou la soumission.

La collaboration d'Etat n'est ni une simple démission devant l'ennemi, ni la marque d'une sympathie idéologique à l'égard du nazisme, même si l'on trouve plusieurs collaborationnistes à des postes officiels importants. Elle résulte d'un choix politique et d'une certaine approche de la situation internationale. Si le Reich a gagné définitivement

Face à l'Angleterre qui résiste, Hitler souhaite le soutien éventuel de la France. Pétain, à la recherche d'un contact avec les autorités du Reich depuis l'été 1940, accepte à Montoire le «principe d'une collaboration». Dès lors, le mot devient officiel et justifie tous les ralliements.

la guerre, ou est en passe de la gagner contre l'Angleterre (c'est l'impression générale à l'été 1940), la France vaincue doit pouvoir trouver sa place dans le nouvel ordre européen, fût-il germanique et nazi, fût-il subi ou magnifié. Dans ce contexte, Vichy dispose de certains atouts : une flotte de guerre invaincue et puissante, un vaste Empire pour l'instant inviolé où sont situées quelques bases stratégiques, et des ressources économiques qui peuvent – croit-on – être négociables. A l'inverse, le gouvernement français attend des Allemands un assouplissement des conditions de l'armistice : ouverture de la ligne de démarcation, diminution des frais exorbitants d'occupation (de 300 à 500 millions de francs par jour, destinés en théorie à entretenir les troupes d'occupation) et libération d'une partie des prisonniers de guerre. Il attend surtout que le Reich reconnaisse sa légitimité sur l'ensemble du territoire, donc sur la zone occupée. Défendre cette souveraineté sera l'obsession

C'est l'Anglais

Kollaborer, c'est être roulé.

DONNANT, DONNANT.

A la fin de 1940, la propagande anti-anglaise s'intensifie (ci-dessus). Sans succès car la politique de collaboration suscite de plus en plus de réserves. Celle-ci deviendra la cible principale des résistants. («Donne-moi ta montre, je te donnerai l'heure», Hitler et Laval dans un supplément illustré du journal clandestin *Combat*, en 1942.)

COLLABORATION

majeure du régime jusqu'en 1944 et la justification première de toutes les compromissions avec le Reich.

Un partenaire loyal

Les principaux responsables français, Pétain en tête, adoptent ainsi la tactique du «donnant-donnant», persuadés que la France vaincue peut devenir un «partenaire» de l'Allemagne, et non un pays vassal. En face, les occupants n'acceptent cette collaboration de la corde et du pendu que du bout des lèvres. La collaboration militaire, sauf à quelques moments clés de la guerre comme à la fin 1940 et au printemps 1941, lorsque le conflit se déplace vers la Méditerranée, ne les intéresse guère. Tout au plus, regardent-ils d'un bon œil la neutralité bienveillante de Vichy, donc celle de la flotte et de l'Empire, avant que ce dernier ne tombe peu à peu sous l'influence des gaullistes.

Comment on l'envisageait après Montoire entre la France et l'Allemagne

En matière économique, ils utilisent tour à tour le pillage, la coercition et la «négociation» avec le gouvernement français. En fait, l'enjeu réel est ailleurs. Occupant un grand pays, les Allemands ont besoin de la coopération de l'administration française pour leur éviter de mobiliser des troupes importantes (600 000 hommes environ), tandis que la guerre s'intensifie sur tous les fronts. Or c'est précisément en offrant à l'occupant les services de son administration, que l'«Etat français» pourra le mieux affirmer sa souveraineté en zone occupée. Là réside le principe actif de la collaboration d'Etat.

Conséquence première, les fonctionnaires français, en particulier dans le domaine crucial du maintien de l'ordre (préfets, police, gendarmerie...)

En 1941, le gouvernement Darlan réorganise la police et centralise tous ses services. Il crée la même année une Ecole nationale supérieure de police, près de Lyon (ci-dessous, la première promotion, arborant le nouvel uniforme).

Ce qu'ils en ont fait

Finira-t-elle ainsi ?

"Vichy est très pauvre et triste. Cette vieille France de droite, tout usée par la longue soumission aux préjugés de gauche. [...] Comique de penser que Vichy qui doit tout aux Allemands et ne subsiste que par eux, fasse la petite bouche à leur endroit. Les Allemands n'auraient qu'à tourner le dos pour que Vichy s'effondre en un instant, maréchal par-dessus amiral."

Pierre Drieu La Rochelle, *Journal*, 1er octobre 1941

Les collaborationnistes de Paris critiquent la «mollesse» de Vichy, mais ménagent Pétain.

agissent certes sous la contrainte directe de l'occupant, mais ils sont couverts par l'autorité d'un gouvernement français réputé légal et bénéficiant d'une apparence de légitimité. Autre cffct pervers : les lois françaises s'appliquent, après visa des autorités occupantes, dans la zone occupée (sauf en Alsace et en Moselle), doublant très souvent les ordonnances allemandes dont elles atténuent de fait le caractère inacceptable car il est plus facile d'obéir à des directives françaises qu'à celles imposées par l'ennemi, même si, sur le fond, elles sont presque identiques. Cette situation, source de toutes les équivoques et de toutes les tensions, a fait de la France occupée un cas unique dans l'Europe mise au pas par les nazis.

Un panier de crabes

L'ambition d'entreprendre une «Révolution nationale» et le choix de la collaboration d'Etat n'ont pas recueilli le même degré d'assentiment au sein des équipes dirigeantes car le régime n'est pas idéologiquement homogène : s'il est fortement ancré à droite, une droite réactionnaire et conservatrice, il recrute également des hommes venus de tous les horizons, y compris des socialistes et des communistes en rupture de ban. A l'hôtel du Parc, siège du gouvernement, se côtoient «vieux romains» et «jeunes cyclistes», des traditionalistes nourris de conceptions antimodernistes (le «retour à la terre») et de jeunes technocrates influencés par le nazisme qui aspirent à une modernité industrielle aux accents totalitaires. S'y côtoient également de raides officiers désœuvrés et d'anciens parlementaires à la recherche d'un office, car les circonstances de la défaite et l'effondrement de la République ont déchaîné aussi

Ont gouverné à Vichy des hommes aux sensibilités fort différentes. Rien de commun entre Pétain, maréchal d'une autre guerre, Darlan (à droite), amiral jadis républicain entouré de jeunes technocrates pro-nazis, et Laval, parlementaire madré et «syndic de faillite» (selon ses termes) de la défaite.

Pétain déteste Laval, son style, ses méthodes (ci-contre, face à face, en Conseil des ministres). Darlan, officier de carrière comme lui, a plus ses faveurs (tous deux au centre, au Grand Prix de Vichy).

les ambitions personnelles. Tous les témoins l'ont écrit : Vichy est un véritable panier de crabes.

Entre les responsables qui se sont succédé à la tête du gouvernement existent surtout des différences de style et de tactique. Jusqu'en décembre 1940, Pierre Laval n'accorde qu'une faible importance à la «Révolution nationale» et mène un jeu personnel gênant le Maréchal, qui le renvoie.

De février 1941 à avril 1942, François Darlan, amiral de la flotte, adopte le principe d'une collaboration rationnelle, convaincu que la France peut jouer un rôle entre le «bloc allemand» et le «bloc anglo-saxon», ce qui ne

HONNEUR ET PATRIE   VALEUR ET DISCIPLINE

l'empêche pas de faire des concessions de nature militaire au Reich. Enfin, revenu au pouvoir sur pression de l'occupant, en avril 1942, Laval ira jusqu'à proclamer qu'il «souhaite la victoire de l'Allemagne car, sinon, le bolchevisme s'installerait partout».

Toutefois, ni l'entrée en guerre des Etats-Unis, en décembre 1941, ni l'invasion de la zone libre,

La propagande n'épargne pas les enfants, obligés, sur leurs bancs d'école,

Parce que la maîtresse a placé devant nous son portrait, je le regarde souvent et je sens que je deviens plus sage pour lui plaire

Jacqueline Billard (13 ans)

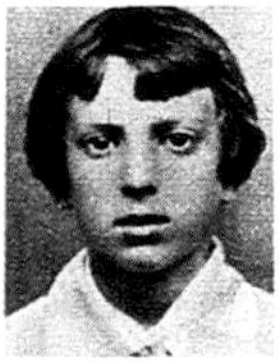

de célébrer les vertus du «sauveur de la France» dont nombre de rues de villes et villages portent désormais le nom.

en novembre 1942, ni les déroutes militaires des armées allemandes à l'Est, à partir de 1942-1943, n'ont fondamentalement modifié les grandes options prises en juin 1940. Certains ont pu abandonner le régime, quelques-uns ont rejoint plus ou moins tardivement de Gaulle et la Résistance. Le principe de la collaboration d'Etat est resté une conduite intangible, se transformant en un engrenage irrémédiable. Pétain s'est proclamé jusqu'au bout le «seul chef légitime de la France».

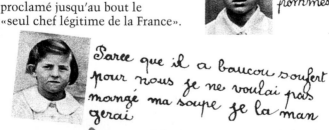

J'aime le Maréchal, vitaminés, du pain, viande, parce qu'il est pommes de terres, du

— Mauricette

Parce que il a baucou soufert pour nous je ne voulai pas mangé ma soupe je la man gerai

Madeleine Daignau 8 ans

Ni résistants, ni collaborateurs

Rares sont les Français qui, dans les premiers temps, perçoivent l'importance de ces enjeux politiques. L'évolution des esprits est d'abord tributaire de la situation militaire : rien de comparable entre la conviction résignée que l'Allemagne est désormais invincible, en 1940-1941, et les espoirs qui germent au moment des premiers revers, à partir de 1942. Ensuite, même les esprits les plus alertés sont accaparés par les difficultés matérielles. Enfin, les Français n'affrontent pas la crise de manière uniforme.

Contrairement aux clichés forgés après la guerre, la ligne de fracture ne passe pas simplement entre les «résistants» et les «collaborateurs». Les frontières sont géographiques, sociales et mentales. Elles sont le fruit du hasard ou d'une contingence désormais reine, et elles changent souvent très vite. Les collaborationnistes sont très minoritaires,

Parce qu'il est resté avec nous dans le malheur.
Claude Bonnet
11 ans ½

Il nous donne des gâteaux ... des carottes, de la ... de la France, des ... du café, du chocolat.
(10 ans) —

que depuis son discours aux ... je suis très polie et très ... Et que je suis sage quand ... maîtresse tourne le dot.
Simone Vidberg (8 ans.)

ES DE VACANCES

localisés surtout en zone nord et à Paris, recrutant aussi bien des intellectuels fascistes que des délinquants notoires.

Dans les premiers temps, quelques excités ressortent du placard des revendications autonomistes, en Bretagne ou en Alsace. On collabore par intérêt, par obligation ou par insouciance. La plupart des Français adoptent une attitude attentiste, s'accommodant faute de mieux de la situation. Beaucoup, surtout en zone occupée, sont

> **"**Quand la grande rafale a courbé les blés mûrs,
> Nous n'avons pas erré dans les sentiers impies.
> Ton regard, Maréchal, redressa les épis.**"**
> René Willy, *Hommages au maréchal Pétain*, 1943

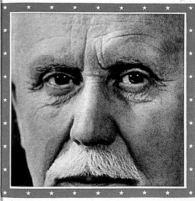

sourdement hostiles à l'occupant. D'autres, en zone sud, n'ont jamais vu d'uniformes allemands. En revanche, une grande majorité, toutes tendances confondues, s'abrite derrière l'ombre du Maréchal.

Maréchalistes et pétainistes

Les Français, de manière massive, ont acclamé, adoré, adulé Pétain. Cette dévotion s'explique d'abord et avant tout par le contexte de l'été 1940. La France ne compte pas «quarante millions de pétainistes», soit quarante millions de partisans du nouveau régime foulant soudain au pied toutes leurs valeurs traditionnelles. Mais elle compte sans nul doute – y compris parmi les premiers ou les futurs résistants – des millions de «maréchalistes», qui adhèrent à la personne du Maréchal, dans un élan

plus sentimental et psychologique que politique ou idéologique. Lorsqu'ils entendent la voix de Pétain leur annoncer la fin des combats, les Français éprouvent du chagrin, de la honte mais surtout un immense soulagement. Une voix surgie des décombres parle de mettre un terme au cauchemar et de rétablir l'ordre, de faire renaître l'autorité de l'Etat en cendres et de maintenir un semblant de souveraineté. Sous les traits d'un père protecteur, Pétain cristallise malgré la politique de Vichy, un patriotisme minimal, toléré par les Allemands.

Les Français dans leur coquille

Pourtant, très vite, une partie de l'opinion montre des signes d'incompréhension. Loin de recueillir pleinement l'adhésion de tous, la Révolution nationale et plus encore la politique officielle de collaboration suscitent sinon la réprobation, du moins le doute. Dès l'été 1941, Vichy le perçoit à travers les centaines de milliers de lettres qu'il dépouille.

"Chaque femme en passant se retournait, espérant la promesse de son regard, doux comme une caresse.**"**
Tino Rossi, «Bel-Ami», 1941

LE MARECHAL REND HOMMAGE
AUX HEROS DE L'ARMEE D'ORIENT
et DES TERRES LOINTAINES, au
Monument dressé face à la mer comme
une porte ouverte vers
L'EMPIRE FRANÇAIS

Les voyages du Maréchal.

De 1940 à 1942, Pétain a visité près de cinquante villes en zone sud. Mis en scène et filmés par la propagande de Vichy, qui diffuse ces images aux Actualités, ces voyages veulent établir un lien physique entre Pétain et les Français, et raffermir la légitimité du régime. Le voyage à Marseille, les 3 et 4 décembre 1940, illustre le rituel figé de ces périples et l'espace symbolique quadrillé : la préfecture, où Pétain reçoit le serment – bras tendus – de la Légion française (en haut à gauche), l'hôpital des grands blessés de guerre et la visite aux anciens combattants (page suivante à gauche). Le maréchalisme, c'est l'autorité de l'Etat, le culte du repentir, de la souffrance et de la mort. Ce voyage met surtout en valeur les derniers atouts du régime : l'Empire (ci-contre), la Flotte, en rade de Toulon, seule arme invaincue en 1940, et la petite armée d'armistice, réduite à de vaines parades (page suivante à droite : visite du *Strasbourg* et défilé militaire). Le moment fort reste cependant l'accueil enthousiaste et spontané de la foule (en bas à gauche), acteur essentiel des voyages.

Cette prise régulière du pouls de l'opinion – en zone Sud – permet au gouvernement, en permanence inquiet de sa légitimité, d'être informé du sentiment des Français. En octobre 1941, un préfet note ainsi : «Depuis quelques mois, le Français se détache de son gouvernement, mais sans grossir sensiblement les rangs de ses opposants : il rentre dans sa coquille.»

Si le régime est largement soutenu au début par la

Les premiers actes individuels de résistance ont commencé très tôt. Le 20 juin 1940, un certain Achavanne, près de Rouen, sabote de sa propre initiative des lignes téléphoniques allemandes, ce qui lui coûtera la vie. En zone

hiérarchie catholique, les grands corps de l'Etat, les notables et chefs d'entreprise, sa légitimité dans l'opinion reste faible. Elle ne repose que sur Pétain et sur l'énorme élan de sympathie dont il bénéficie, un élan teinté d'ambiguïtés, d'ambivalences et d'illusions.

Les premiers cris de révolte

Jusqu'en 1941, les manifestations de résistance sont encore très rares. Les premiers groupes, comme celui du musée de l'Homme, à Paris, sont rapidement décapités par les Allemands. Les appels du général de Gaulle, à la BBC de Londres, tombent dans des oreilles assourdies par la défaite, même si l'appel du 18 juin 1940 constitue sans nul doute l'un des actes symboliques les plus décisifs de ce qui deviendra peu à peu la «Résistance». Celle-ci n'est pour l'instant

occupée, ces actions sont motivées par le patriotisme et le refus de la défaite. En zone non occupée, où les risques sont moindres, les résistants se placent d'abord sur le terrain des valeurs, non sans une grande diversité : certains, au début, font confiance à Pétain, d'autres dénoncent d'emblée le défaitisme de Vichy.

qu'une somme infinitésimale d'initiatives individuelles. Certains obéissent à des motifs patriotiques, comme les étudiants parisiens qui manifestent le 11 novembre 1940. D'autres se situent dans la lignée de l'antifascisme, surtout à gauche. Le parti communiste, clandestin depuis 1939, a toujours les mains liées à cause du pacte germano-soviétique. Il ménage donc l'occupant, l'allié objectif et provisoire de Staline. Il n'entrera pleinement en résistance qu'à partir du printemps 1941. Enfin, parmi les motivations les plus fortes :

« Cette guerre est une guerre mondiale. » Une telle affirmation, le 18 juin 1940, alors que la guerre n'oppose que le Reich et l'Angleterre (que l'on croit perdue), relève d'un acte de foi prophétique. Très peu de Français ont entendu ce premier appel du général de Gaulle. Mais grâce aux tracts parachutés (ci-dessus) ou distribués clandestinement (ci-contre, dans le métro, en 1941), il devient un acte fondateur et un signe d'espoir.

la défense des idées républicaines et les convictions humanistes et religieuses qui ont joué un rôle déterminant dans l'émergence d'une résistance intellectuelle et spirituelle.

Les premiers cris de révolte ne rencontrent donc qu'un très faible écho au sein d'une population préoccupée avant tout par sa survie. Peu sont disposés à suivre les «Conseils à l'occupé» que diffuse clandestinement à Paris, en août 1940, un fonctionnaire inconnu du nom de Jean Texcier : «Etale une belle indifférence mais entretiens secrètement ta colère. Elle pourra servir.»

L'humiliation a duré quatre longues années, durant lesquelles il a fallu vivre avec l'ennemi, reprendre ses habitudes, chercher le pain quotidien et se battre souvent pour une maigre motte de beurre. Quatre longues années durant lesquelles on a aussi chanté, dansé, rempli les stades et les salles de cinéma. Le pays tout entier pouvait-il se murer dans le silence, à l'image de l'héroïne de Vercors ?

CHAPITRE III

VIVRE ET SURVIVRE

La bureaucratie de l'occupant se déploie telle une toile d'araignée. Au début, certains admirent son organisation efficace avant de réaliser qu'elle contribue à affamer un peu plus les Français (à droite, une fillette fouille une décharge aux Halles).

L'Allemand au quotidien

Les Français de la zone occupée commencent vite
le difficile apprentissage de la vie quotidienne avec
l'ennemi. Les actes de servilité sont nombreux car
l'occupant est omniprésent et détient tous les
pouvoirs de décision. Chacun a un jour ou l'autre
une requête à faire valoir : un laissez-passer,
une demande d'information sur un prisonnier,
l'autorisation de rouvrir sa boutique ou son
entreprise. Les autorités locales, en particulier les
maires, les gendarmes, les chefs d'entreprise, les
médecins, les fonctionnaires sont au contact direct
des autorités occupantes qui parfois ménagent

❝ 1er mai 1941.
Place des Ternes.
Muguet, dont j'achetai
un petit bouquet, en
l'honneur du 1er mai,
lequel est bien pour
quelque chose aussi
dans ma rencontre avec
Renée, une toute jeune
vendeuse dans un
magasin. Paris offre des
rencontres comme
celle-là, sans qu'on ait
presque à les chercher.**❞**
Ernst Jünger, *Journal,*
1941-1943

soumises à une répression plus brutale, l'occupation
se révèle au début une source d'angoisse et de
problèmes, mais elle n'est pas la terreur que l'on
redoutait. A tout prendre, elle est même préférable
au chaos de l'été 1940.

Le temps des épiciers

«Echange costume, bon état, contre quart
de cochon». Dans la rue
ou au bureau, de telles
situations deviennent
courantes. Car
l'obsession première,
c'est la nourriture. La
désorganisation
économique, le
découpage en zones
inégalement riches, les
prélèvements allemands
et le blocus des côtes
maritimes par les
Anglais, qui gêne le commerce avec l'Empire,
engendrent une pénurie générale. On manque
de viande, de beurre, d'huile, de pain. On manque
de charbon, d'essence, d'électricité. Des produits
disparaissent de la circulation, comme le chocolat
ou le café. D'autres produits, plus
indigestes, font leur apparition sur les

Bekanntmachung

Der Holzarbeiter

Richard HENAULT

wohnhaft in Saint-Germain-la-
Poterie, ist wegen Ermordung
eines deutschen Soldaten durch
das Kriegsgericht zum

TODE

verurteilt und am
26. Oktober 1940

ERSCHOSSEN worden

Den 27. Oktober 1940.   Das Kriegsgericht.

ARRÊT
de la Cour Martiale

Pour avoir

assassiné **un soldat allemand**
le nommé

Richard HENAULT

Bûcheron

domicilié à Saint-Germain-la-Poterie
a été condamné à la

PEINE DE MORT

Il a été

FUSILLÉ

le 26 Octobre 1940

Fait le 27 Octobre 1940.   **La Cour Martiale.**

**"On ne trouve plus de
pommes de terre: notre
concierge déclare:
forcément, depuis
qu'on assassine des
Allemands, ils nous
mettent en
quarantaine!"**
Jean
Galtier-
Boissière

les échelons intermédiaires, par tactique et souci d'efficacité. En outre, l'Allemand est devenu le plus gros consommateur de biens car il bénéficie d'un taux de change très avantageux imposé par la convention d'armistice : «le franc n'a pas besoin d'avoir plus de valeur qu'un certain papier réservé à un certain usage», déclare même un dignitaire du Reich. A Paris, devenue villégiature pour soldats en permission, les uniformes vert-de-gris font vivre et prospérer les hôtels, les restaurants, les commerces de luxe, les cabarets et le reste.

Les Français de toutes conditions sociales nouent ainsi des relations commerciales, professionnelles, voire amicales et sentimentales avec l'ennemi. De surcroît, jusqu'en 1942, la répression se limite au début à quelques opposants que la propagande qualifie de «terroristes», et qui sont souvent perçus comme tels par la majorité.

La politique des otages pratiquée par le commandement militaire allemand, pour horrible qu'elle soit, ne touche qu'une très faible minorité, surtout des communistes ou des juifs. On n'approuve certes pas, mais on détourne pour l'instant le regard. Pour la grande majorité des Français de la zone occupée, à l'exception des populations des régions germanisées d'Alsace-Lorraine ou de celles du Nord,

Après l'attaque contre l'URSS, le 22 juin 1941, les Allemands traquent les communistes qui menacent désormais leur sécurité. Ils veulent les isoler du reste de la population et décourager tout ralliement. L'avis du 14 août 1941 (ci-dessous) anticipe d'une semaine l'assassinat dans le métro parisien d'un aspirant de marine, par le communiste Pierre Georges (Colonel Fabien). Ce geste inaugure une vague

d'attentats individuels – très controversée – que l'occupant réprime en exécutant des otages.

marchés, comme le rutabaga, devenu légume fétiche de l'Occupation.

Devant les magasins qui rouvrent progressivement, les queues deviennent interminables. Elles n'épargnent personne et dévorent un temps considérable, au détriment d'autres activités. L'épicier, dont la devanture est vide et l'arrière-boutique souvent pleine, est devenu un personnage essentiel du décor : un demi-million de commerces alimentaires de plus ont vu le jour entre 1939 et 1945.

Menu à la carte

A l'automne 1940, pour tenter de faire face à cette situation catastrophique, le gouvernement renforce le rationnement, instauré depuis février au moment de la «drôle de guerre». Désormais, chaque citoyen se voit contraint d'utiliser des tickets

❝10 décembre 1940. Les Allemands ont prouvé qu'on peut appliquer le principe romain «du pain et des jeux» à rebours et obtenir le même résultat. Soit on donne du pain au peuple pour qu'il ne pense pas, soit on ne lui en donne pas et il arrête de penser.**❞**
Andrzej Bobkowski,
En guerre et en paix.
Journal 1940-1944

qui lui donnent droit à l'équivalent de 1 200 à 1 800 calories par jour, suivant l'âge ou le lieu de résidence, à peine le minimum vital. A Paris, un adulte a droit, par jour, à 275 grammes de pain; par semaine, à 350 grammes de viande, 100 grammes de matières grasses et 70 grammes de fromage; par mois à 500 grammes de sucre, 200 grammes de riz, 250 grammes de pâtes. La plupart du temps les produits manquent. En 1944-1945, la viande ou le beurre ont disparu de l'alimentation de beaucoup de Français.

La bureaucratie est telle qu'aucun produit n'échappe à une réglementation devenue aussi pléthorique qu'incontrôlable. Le 17 octobre 1941, un an presque jour pour jour après le «statut des juifs», le *Journal officiel* publie un «statut de la noix» qui en réglemente la cueillette et la vente. La situation devient encore plus terrible en hiver : celui de 1940-1941, particulièrement rigoureux, a laissé de terribles souvenirs car il gèle dans les appartements ou les bureaux privés de chauffage.

Aux pénuries de biens, s'ajoute le manque de logements, dû en partie aux destructions : on compte des millions de sans-abri. Jusqu'au début de 1941, avant que l'économie ne redémarre grâce à l'impulsion des commandes de l'industrie de guerre allemande, plus d'un million de personnes sont au chômage. La débâcle et le départ des prisonniers ont entraîné la fermeture de très nombreuses entreprises ou la mise en friche de terres cultivables.

Le désordre économique s'accompagne d'une hausse brutale des prix officiels, multipliés par trois. Entre 1938 et 1944, le franc chute au quart de sa valeur. Dans le même temps, les salaires stagnent, d'où une baisse générale du niveau de vie qui peut

❝17 janvier 1941. J'ai été pesée mardi et j'ai maigri de 2,5 kilos depuis le mois d'octobre. Restrictions! J'ai chipé un pot de confiture. Je l'ai mis derrière les livres de la bibliothèque. J'ai honte de faire des choses comme ça [...].

Je n'aurais jamais fait ça avant parce que je n'aimais pas les confitures, mais maintenant, nous mangeons si mal que j'ai toujours faim. Par exemple, aujourd'hui, j'ai eu quatre rognons de mouton à 5 francs pièce. C'est sans ticket, mais il y avait beaucoup de graisse avec, et ils étaient gros comme le pouce. [...] 19 janvier 1941. J'ai fini le pot de confiture.❞
Micheline Bood,
Les Années doubles

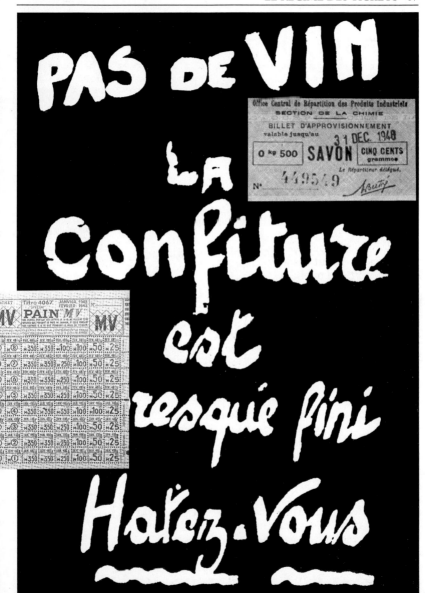

Pas de blé français pour

Pétain somme les paysans français de livrer tout leur blé, m
les Français, c'est pour les boches

prendre des dimensions tragiques : pour une famille nombreuse dont la mère ne travaille pas, le poids des dépenses alimentaires vitales est tel qu'il dépasse le revenu réel.

Paysans et citadins

La pénurie et les restrictions modifient les liens traditionnels entre villes et campagnes. Les inégalités se creusent entre des régions qui disposent naturellement de ressources alimentaires diversifiées et les grandes cités urbaines (Paris, Lille, Lyon...) ou les régions de monoculture (comme le midi vinicole).

La France est mise au pillage

Cheminots patriotes, faites dérailler les trains transportant
nous ont été volées par les oppresseurs de la Patrie.

La différence est criante entre celui qui peut se ravitailler à la campagne (le «marché gris»), dans des périples souvent épiques, chez une grand-mère ou un lointain cousin et celui qui ne dispose d'aucune relation familiale ou amicale de ce type.

Seul un quart de la population française,

La cohabitation entre occupants et occupés (ci-dessus, à Quimper) soulève au fil des mois de vives tensions qu'exploite le PCF. Dès le 15 mai 1941,

Camarades ouvriers, refusez de trava

Revendiquez, faites grève, faites sauter les machines et ince
servent nos ennemis.

essentiellement des ruraux, a pu se ravitailler correctement et même connaître un certain progrès alimentaire, tels les agriculteurs qui – statistiquement – mangent plus souvent de la viande. Plus de la moitié des Français, les citadins surtout, ont connu peu ou prou la faim. Dans certaines villes,

avec le «Front national», il a adopté une ligne de rassemblement patriotique (titres de *L'Humanité* clandestine, 3 avril 42).

Tous à l'action pour libérer l

...tler !

n'est pas pour

la mortalité des enfants en bas-âge augmente de moitié, un quart des adolescents ont une taille inférieure à la normale et près des deux tiers présentent des carences en vitamines. Le nombre de décès dus à la tuberculose double.

A ce triste tableau, il faut ajouter le sort tragique des dizaines de milliers d'hommes, de femmes et d'enfants (communistes, juifs, étrangers), internés dans les camps français dont les conditions de vie sont descendues largement en dessous du minimum vital, ou encore celui des malades mentaux, dont beaucoup sont morts de faim par négligence ou désintérêt.

Avant les réquisitions de masse en 1943, le Reich, profitant du chômage issu de la débâcle, incite les ouvriers français à travailler dans ses usines, en France même (dans les ateliers de l'armée), ou en Allemagne (ci-dessous,

L'Aventure de Célestin Tournevis

Ménagères et marché noir

les nazis.

...rchandises qui

La prolifération à grande échelle du marché noir aggrave encore les inégalités sociales. On trafique de tout, des biens alimentaires aux stocks de ferraille, des kilomètres de tissu aux tonnes de charbon. On détourne des convois entiers sur le réseau ferroviaire. Pour le simple quidam, le kilo de café peut atteindre 1 000 francs, la moitié d'un salaire moyen à Paris. Les entreprises, elles aussi, ont recours à ce marché

pour Hitler

...es usines dont se

parallèle. Il alimente toutes les conversations, tous les fantasmes, canalise tous les ressentiments et mobilise en permanence les autorités.

Le marché noir, contrôlé en partie par des officines allemandes qui disposent de stocks et de liquidités considérables, permet l'émergence de fortunes aussi rapides qu'astronomiques : celle du célèbre Szkolnikoff, un juif étranger d'origine russe

...rance !

manipulé par l'occupant, dont la fortune immobilière sera estimée, en 1945, à près de 2 milliards de francs, en est un

brochure de propagande). Environ 70000 hommes (et femmes) iront chercher des salaires plus élevés et des conditions de vie meilleures dans un pays qui ne connaît pas encore de restrictions drastiques.

BERLIN

PAS DE BEURRE POUR L'ALLEMAGNE !!!!
Ménagères! Mama...
UNISSONS NOS RÉCLAMAT...
POUR EXIGER UNE MEILLEU...
RATION !!!

UNION DES FEMMES FR...

« Henri Jeanson me raconte qu'à la Santé, faisant la «queue des cervelas» dans une cour, il demande en douce au détenu qui le précédait :
– Pourquoi es-tu là ?
– Parce que j'ai vendu de l'or à la Gestapo.
– Tiens ! Et pourquoi t'ont-ils coffré ?
– Parce que c'était du cuivre... »
Jean Galtier-Boissière,
Mon journal pendant l'Occupation

exemple marginal mais célèbre.

Les conditions matérielles exceptionnelles créent aussi de nouvelles formes de solidarité, hors des circuits officiels et des organismes de «charité» allemands ou français, qui tentent d'exploiter ces difficultés à leur profit. Renaissent ainsi des associations ouvrières ou familiales, ou des groupements de ménagères qui déclenchent des manifestations contre les magasins vides. Très nombreuses en 1942, elles sont souvent encouragées par le parti communiste et d'autres mouvements de résistance. Car le mécontentement ne fait que grandir : contre les Allemands «qui nous prennent

La dénonciation du marché noir est l'un des rares points communs à Vichy (en bas à gauche et ci-contre), aux collaborationnistes (caricature de Soupault pour une brochure doriotiste ci-dessous) et aux résistants (en haut à gauche, un tract communiste). Le gouvernement lutte contre ces pratiques car il sait qu'elles menacent un ravitaillement qu'il a du mal à assurer. Les fascistes, qui pourtant profitent des largesses allemandes, y voient la main des «juifs». Seuls les résistants sont en partie dans le vrai en stigmatisant le pillage de l'occupant. Erreur typographique ou lapsus idéologique : sur le tract communiste, les convois se dirigeant vers Berlin semblent venir de la droite, donc... de l'Est.

tout!», contre le gouvernement impuissant, contre les épiciers au visage hermétique et les paysans au visage rubicond.

«La symphonie des semelles de bois»

Le dénuement a pourtant ses vertus. Les pénuries aiguillonnent l'inventivité du Français moyen comme celle des ingénieurs. Les produits de remplacement, les «ersatz», envahissent la vie de tous les jours : semelles de bois ou de liège pour remplacer le cuir, «café» à base de pois chiches, de glands grillés, ou encore de chicorée, qui voit sa popularité croître, cigarettes aux feuilles de tournesol ou de topinambour. Partout on célèbre avec fierté le système «D» (comme «débrouillard»). Paris n'a plus de voitures mais des vélos-taxis, la bicyclette étant devenue la reine des transports quotidiens. On récupère tout, notamment les métaux, on cultive des légumes dans le jardin des Tuileries. La France de l'Occupation est devenue un vaste concours Lépine.

L'innovation technologique connaît également un coup de fouet, bénéficiant parfois de brevets allemands. Les bureaux d'études sortent de nouvelles fibres textiles (le genêt), des fibres artificielles (la rayonne). Le gazogène remplace

VENTE LIBRE

On peut affirmer que la France trouvera si elle le désire, dans l'avenir, des ressources en produits de remplacement qui pourront l'affranchir, dans une certaine mesure, des sujétions étrangères.

Le Commissaire général aux économies de matières. Exposition itinérante des produits de remplacement, juin-juillet 1943

l'essence de voiture. Les matières plastiques, appelées à un avenir durable, se multiplient : vinyles et polymères de Saint-Gobain ou de Dunlop, papiers plastifiés, caoutchouc synthétique («buna») de Rhône-Poulenc. Certains projets «farfelus» restent à l'état d'étude, comme la voiture en aluminium. D'autres attendront la Libération pour sortir, telle la 4 CV Renault, dont le premier prototype date de 1942. Pour distraire leurs troupes, les Allemands ont installé des studios de «télévision», une invention récente, à Paris, rue Cognacq-Jay.

« Les qualités de la race, comprimées depuis plusieurs années, ont trouvé dans ce domaine restreint l'occasion de s'épanouir avec toute leur force et toute leur élégance. Comment pourrions-nous douter, dans ces conditions, de la résurrection prochaine de notre pays ? »

Idem

Chanter sous l'Occupation

Couvre-feu et ventres creux n'empêchent pas les activités culturelles, artistiques et sportives de connaître un formidable essor. Sur l'ensemble de la France, les salles de cinéma se remplissent deux fois plus qu'avant guerre. Même en mai 1940, en plein début de la débâcle, 300 000 personnes se sont rendues dans les salles obscures. Les théâtres et les bibliothèques connaissent la même affluence : on n'a jamais emprunté autant de livres : romans, récits ou... livres de cuisine.

Ce phénomène a surpris, voire choqué certains contemporains. On parle de défaitisme, de démission, de «collaboration» larvée. Comment peut-on chanter alors que l'on déporte et que l'on fusille ? Sans doute faut-il voir là un réflexe de survie, le même qui peut

La société de l'Occupation offre en permanence une image contrastée. Le ridicule y côtoie parfois le sublime, et l'appétit de vivre ignore souvent le tragique (à gauche, des ménagères aux Halles, devant des produits supposés manquants ; page suivante, distribution de soupe populaire, à Paris, l'été 1942).

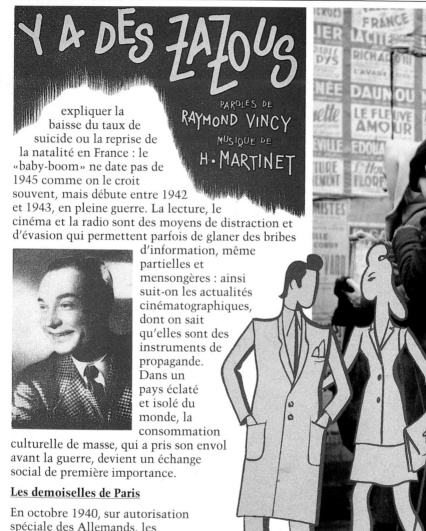

Y A DES ZAZOUS

PAROLES DE RAYMOND VINCY

MUSIQUE DE H. MARTINET

expliquer la baisse du taux de suicide ou la reprise de la natalité en France : le «baby-boom» ne date pas de 1945 comme on le croit souvent, mais débute entre 1942 et 1943, en pleine guerre. La lecture, le cinéma et la radio sont des moyens de distraction et d'évasion qui permettent parfois de glaner des bribes d'information, même partielles et mensongères : ainsi suit-on les actualités cinématographiques, dont on sait qu'elles sont des instruments de propagande. Dans un pays éclaté et isolé du monde, la consommation culturelle de masse, qui a pris son envol avant la guerre, devient un échange social de première importance.

Les demoiselles de Paris

En octobre 1940, sur autorisation spéciale des Allemands, les hippodromes ont rouvert leurs guichets. Cabarets, restaurants et cafés ne désemplissent pas, grâce au marché noir. Le «Gai-Paris» reprend ses droits, les grandes maisons de couture rouvrent

leurs salons. Lanvin, Maggy Rouff ou Nina Ricci présentent de nouvelles collections inspirées par l'air du temps : le manteau confortable «Je fais la queue», la robe d'intérieur «Je remplace le chauffage central», sans oublier les modèles somptueux, enturbannés à souhait, destinés à quelques très rares privilégiées. Paris est-il décidément toujours Paris ? En réalité, se joue là, comme dans toute la société de l'Occupation, la survie d'une industrie française traditionnelle. Pas question, affirme Lucien Lelong, président de la chambre syndicale de la haute-couture, que New York remplace désormais Paris comme capitale de la mode. Et puis cette floraison qui touche également la confection de masse exprime une volonté de faire dignement face à l'épreuve : «Etre belle, c'est aussi être résistante, c'est se préparer à souffrir au minimum des privations, des files devant les boutiques d'alimentation» lit-on dans *Votre Beauté*, un des nombreux journaux féminins qui connaissent alors une incroyable vogue.

Écrire, publier, jouer

La littérature se porte bien, mais elle est sous influence. La NRF, dirigée par le collaborationniste Pierre Drieu La Rochelle, est contrôlée plus étroitement que la Banque de France. Les lieux de pouvoir intellectuels, journaux et maisons d'édition, sont sous la coupe des «nouveaux messieurs», qui célèbrent avec leur plume les vertus de la «race des vainqueurs», par intérêt, par conviction fasciste et antisémite ou parce qu'écrire et se faire reconnaître envers et contre tout mérite bien de vendre son âme au diable : Jean Luchaire, Lucien Rebatet, Robert Brasillach et bien d'autres, aux noms parfois illustres. Les intellectuels qui ont choisi l'autre camp ont eux aussi été nombreux (René Char, Robert Desnos, qui l'a payé de sa vie, Malraux...). Cela n'empêche pas certains de publier en même temps dans des feuilles clandestines et chez des éditeurs autorisés. Les frontières ne sont jamais rigides entre les deux mondes.

La vie théâtrale connaît un vif éclat malgré les pénuries. Elle bénéficie d'une politique nouvelle de subventions de l'Etat et s'engage même dans l'aventure de la décentralisation qui connaîtra son apogée après la guerre. On compte ainsi de grandes créations, dont celle du *Soulier de satin*, de Claudel, restée l'un des événements majeurs du Paris mondain de l'époque, ou les représentations d'œuvres nouvelles qui entrent dans le répertoire français : *La Reine morte*, d'Henry de Montherlant,

COUTURE PASSE LA LIGNE

AGAZINE FRANÇAIS

Paris reste la cité des plaisirs (à gauche, *Le Moulin de la Galette*), et la France le pays des intellectuels. Ceux de la collaboration lui donnent un peu de lustre et une formidable caution (en bas, Brasillach et Drieu La Rochelle, à un meeting du PPF de Doriot, en mai 1943). Ceux de la Résistance

VERCORS

LE SILENCE DE LA MER

LES ÉDITIONS DE MINUIT

lui donnent une âme, en maintenant vivante la grande tradition rebelle des lettres françaises, à l'image des Editions de Minuit, fondées dans la clandestinité par Pierre de Lescure et Jean Bruller (Vercors). *Le Silence de la mer*, distribué sous le manteau en 1942, est le premier titre d'une série prestigieuse.

Les Mouches ou *Huis clos* d'un jeune auteur qui monte : Jean-Paul Sartre.

Enfin, le cinéma vit une période exceptionnellement féconde – certains ont parlé d'un «âge d'or» du film français : *La Fille du puisatier*, de Marcel Pagnol (1940); *Goupi Mains-Rouges*, de Jacques Becker (1942); *Les Visiteurs du soir*, de Marcel Carné (1942); *Le Corbeau*, d'Henri-Georges Clouzot (1943), produit par la firme allemande Continental; ou encore *Les Enfants du paradis*, de Marcel Carné, tournés sous l'Occupation et diffusés en 1945. Les années noires, par suite des départs en exil (Jean Renoir, René Clair, Julien Duvivier, Michèle Morgan et Jean Gabin) et des lois raciales qui excluent nombre de professionnels des plateaux permettent l'émergence d'une nouvelle génération de comédiens et surtout de réalisateurs : Becker, Clouzot, Bresson.

Un art officiel?

Le cinéma de l'Occupation puise son inspiration dans la veine fantastique et historique. Peu de films abordent des préoccupations immédiatement contemporaines. Au contraire de la littérature, le théâtre et le cinéma français de fiction n'ont pas servi de relais aux idées collaborationnistes, ni même à l'idéologie pétainiste. Ils ont été des moyens d'évasion.

En règle générale, les Allemands ne cherchent pas à imposer une ligne aux films de fiction et la propagande de Vichy est incapable de promouvoir un art officiel ou de contrôler idéologiquement des activités où passe le souffle de la liberté créatrice. En fait d'art officiel, il ne laissera que l'incroyable collection des cadeaux offerts au Maréchal : francisques en caramel mou, en pain de seigle ou en allumettes, expression la plus niaise de la dévotion pétainiste.

«Assis ! Assis !»

En revanche, l'«Etat français», dans la veine inaugurée par le Front populaire mais dans un autre esprit, encourage la pratique du sport de masse. L'activité physique devient un élément essentiel de l'éducation générale : le sport est l'assurance d'une jeunesse saine et fidèle. Toutefois, ni les gymnastes, ni les cyclistes, ni les nageurs ne dépensent leur énergie pour faire plaisir au Maréchal ou raffermir la Révolution nationale. Fin mars 1944, en pleine période de bombardements, a lieu au Parc des Princes la finale du championnat de rugby entre Perpignan et Bayonne ; à l'annonce d'une alerte aérienne, seuls deux officiers allemands se rendent aux abris tandis que la foule impatiente crie «Assis !, Assis !». Pour le meilleur ou pour le pire, le spectacle, sous l'Occupation, continue.

"Il n'y a ni stade, ni vélodrome, ni piscine. Il y a cent trente-deux cafés et bistrots, je les ai comptés, et quatre bordels... Quand les enfants ne peuvent pas se saoûler de grand air et de vitesse, il faut bien qu'ils aillent user leurs nerfs quelque part.» Ainsi plaide Loursat-Raimu, dans le film de Decoin. Ce n'est pas un message «pétainiste» mais une critique traditionnelle de la société bourgeoise, accusée de laisser la jeunesse à l'abandon. Si des artistes se compromettent, la plupart des œuvres d'art ne véhiculent pas l'idéologie officielle (à gauche, sculpture de Maillol).

L'Occupation n'est pas vécue de la même manière par les hommes et les femmes. Vichy enjoint à celles-ci d'être les gardiennes du foyer, séparant au sein de la famille le rôle respectif du père et de la mère (ci-dessus). Si l'éternel féminin fait toujours fureur dans le Paris occupé, l'image ne correspond guère au sort de la très grande majorité. Les femmes ont dû développer une grande énergie pour surmonter les difficultés matérielles, et elles ont été en première ligne sur le front de la solidarité et de l'assistance sociale. Enfin, dans la Résistance, elles ont fait preuve d'un courage égal à celui des hommes (en haut à gauche, Simone Schloss, jeune militante communiste, jugée en avril 1942 et exécutée), qui leur vaut, en avril 1944, d'obtenir par de Gaulle le droit de vote.

Tandis que la majorité tente de survivre aux difficultés matérielles et se distrait dans les salles obscures, une autre France subit, très tôt, les persécutions raciales et la répression politique. Vichy prête la main aux Allemands pour ce qui restera la tache majeure du régime né de la défaite : sa participation à la lutte contre la Résistance et sa complicité active dans la «Solution finale». Les Français mettront un certain temps à réagir.

CHAPITRE IV
SOUS L'OPPRESSION

À partir de 1942 la brutalité de l'occupant s'exerce conjointement, pour des raisons distinctes, contre les résistants (à gauche, patrouille allemande en action) et contre les juifs, obligés, en zone occupée, de porter l'«étoile jaune», prélude à l'extermination.

«Nous avons des ennemis communs»

La France n'a pas connu le sort de la Pologne ou des territoires soviétiques occupés, mais la répression nazie, qui bénéficie de l'aide de Vichy, ne l'épargne pas. Elle vise tous les opposants politiques, tous les résistants, ainsi que nombre de personnes désignées comme otages. La France n'échappe pas non plus aux persécutions systématiques de ceux qui ont eu simplement le malheur de naître dans des catégories vouées à l'exclusion, puis à l'extermination par l'idéologie nazie, dont les juifs et les tsiganes.

Contrairement à la répression, les persécutions touchent des familles entières. Adoptant un système de terreur analogue à celui des autres pays occupés, les Allemands mettent au pas toute velléité de résistance : arrestations de suspects, exécutions d'otages (dont certains sont désignés par le ministère français de l'Intérieur parmi les juifs et les communistes), interrogatoires et tortures systématiques, application du décret «Nuit et Brouillard», destiné à faire perdre toute trace des résistants arrêtés.

L'«Etat français», quant à lui, cherche à prouver à l'occupant, avec lequel il partage des ennemis communs, sa capacité à faire lui-même régner l'ordre afin que soit reconnue sa souveraineté. Il s'en prend en outre à des ennemis spécifiques,

La répression allemande a été bien plus sanguinaire que celle de Vichy, touchant les résistants et ceux qui les soutiennent (à gauche, pendaison à Rostrenen, en Bretagne, en juin 1944). Juges et policiers français servent toutefois d'auxiliaires, arrêtant les suspects, les déférant devant des tribunaux d'exception, tels les «Sections spéciales» ou le «Tribunal d'Etat» qui condamne à mort le député communiste Jean Catelas (ci-contre, en haut), guillotiné en septembre 1941. En outre, Vichy a eu ses propres camps d'internement et en a géré d'autres pour le compte de l'occupant (ci-dessous, couverture du bulletin d'un camp d'internement).

UN CAMP

exclus et opposants de la «France nouvelle» qu'il tente de bâtir.

Les répressions touchent un nombre croissant de personnes pour les motifs les plus divers. Les communistes sont parmi les premiers visés, surtout après juin 1941, lorsque l'offensive allemande contre l'URSS les jette en masse dans la lutte armée contre l'occupant. Pourchassés par la Gestapo ou les Brigades spéciales françaises, environ une dizaine de milliers d'entre eux périront fusillés ou déportés.

Vichy interdit les loges maçonniques, publiant au *Journal officiel* des listes entières de francs-maçons qui sont ainsi désignés à la vindicte publique. Des milliers de fonctionnaires (instituteurs, militaires...), outre les juifs et les francs-maçons, sont révoqués pour raisons politiques.

Aiguillonné par son désir de revanche, Vichy entreprend de juger les prétendus responsables de la défaite. Un «conseil de justice politique», siégeant à Riom, en février 1942, met en accusation d'anciens dignitaires de la IIIe République, tels Léon Blum et Edouard Daladier, avant que le procès ne soit interrompu sur pression des Allemands, car il tourne à la déconfiture des accusateurs. D'autres personnalités qui étaient hostiles à l'armistice – Paul Reynaud, Pierre Mendès France, Georges Mandel ou Jean Zay – sont internées, la plupart sans jugement.

La haine antisémite et antimaçonnique (ci-dessous, brochure collaborationniste) est passée des mots aux actes. Georges Mandel (à gauche au centre), héritier de Clemenceau, républicain conservateur, farouchement hostile à l'armistice, est interné par Vichy sans jugement, ainsi que le radical de gauche Jean Zay (à gauche en bas), ancien ministre du Front populaire. Leurs

L'Europe est aux Européens.
Sur ça il faut que l'on s'explique :
Ici nous voulons des Aryens !
(Avis à la gent hébraïque.)

Francs-maçons? Non. Vrais-Faux-Bonshommes
Francs-Fossoyeurs plutôt, je pense...
Francs-Fripons qui furent, en somme,
Les Francs-naufrageurs de la France !

«crimes» : être des figures symboliques de la IIIe République honnie et, de surcroît, être juifs. C'est pour cette raison qu'ils seront sortis de leurs geôles et assassinés par la Milice en 1944, non pas dans la logique répressive mais dans celle de la guerre «franco-française».

Les deux derniers seront assassinés en 1944 par la Milice française. Les législations françaises d'exception (Sections spéciales, Tribunal d'Etat) se multiplient.

Le nombre total des victimes de la répression proprement dite reste mal connu : plusieurs milliers de personnes ont été assassinées par les nazis en France même, dont une partie avec la complicité directe du gouvernement français et des collaborateurs. Surtout, 63 000 hommes et femmes (résistants, civils, condamnés de droit commun, homosexuels...), dont seuls 37 000 ont survécu, ont été déportés vers les camps de concentration allemands (Dachau, Buchenwald, Ravensbrück...), distincts des camps d'extermination.

Les barbelés français

Dès 1938, à l'approche de la guerre, et en 1939, avec l'afflux des réfugiés espagnols fuyant la terreur franquiste, le gouvernement français avait mis en place des camps de «transit», d'«hébergement» ou d'«internement» pour étrangers. On y trouvait des communistes, des républicains espagnols, des Allemands ou des

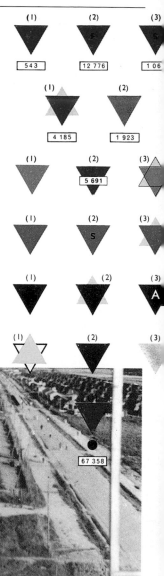

Autrichiens antinazis, dont un grand nombre de juifs. Une logique sécuritaire, la peur des «espions de la Cinquième colonne», doublée d'une xénophobie officielle, reflet de la société française d'alors, avaient conduit à l'instauration de ces camps.

Ce dispositif, à vocation provisoire, devient, sous Vichy, l'instrument d'une véritable politique d'exclusion visant à séparer ces étrangers de la communauté nationale. En 1940-1941, on compte ainsi près d'une trentaine de camps en zone non occupée (Gurs, Le Vernet, Rivesaltes, Rieucros, les Milles, etc.) et plus de 75 000 personnes internées ou enrôlées de force dans des «groupes de travailleurs étrangers», contre moins d'un millier en zone occupée.

Dans ces camps sous administration française, on meurt de cachexie – la «maladie de la faim» – ou de gastro-entérite : près de 600 morts en trois mois, au camp de Gurs, lors de l'hiver 1940-1941.

L'occupant, Vichy et les juifs

«L'Allemagne ne fut pas à l'origine de la législation antijuive de Vichy. Celle-ci fut, si l'on peut dire, spontanée, autochtone.» Ainsi s'exprimera après la guerre Henri du Moulin de Labarthète, ancien

La bureaucratie de l'oppression est très complexe et source fréquente de confusion. Le mot «camp» désigne ainsi des réalités fort différentes : les camps d'internement français pour étrangers en zone sud (ci-dessous, Gurs); les camps de regroupement pour les juifs promis à la déportation, en zone nord (tel Pithiviers); les camps de concentration du Reich où les déportés sont marqués d'un triangle rouge pour les politiques, vert pour les droits communs, brun pour les tsiganes, rose pour les homosexuels, etc., les juifs parmi eux portant un signe distinctif –; enfin, à une tout autre échelle, les camps d'extermination de la «Solution finale» (tel Auschwitz-Birkenau).

Le camp de Natzweiler-Struthof, près de Strasbourg, a été le seul camp de concentration installé sur un territoire français, en Alsace annexée. Environ 6 500 personnes y ont été déportées : des Belges, des Norvégiens, des Alsaciens et Lorrains, des prisonniers soviétiques... Près de 3 000 détenus y ont trouvé la mort, parmi lesquels 108 membres du réseau de résistance «Alliance», fondé en 1941 en zone occupée par Marie-Madeleine Fourcade. Ce camp, dont le taux de mortalité était l'un des plus élevés, était en particulier destiné aux déportés «NN» (Nuit et Brouillard). Ce sigle ne signifiait pas une extermination immédiate mais désignait des détenus, spécialement visés, sur lesquels ne devait subsister à l'extérieur aucune information, en vertu d'une politique de terreur appliquée par les autorités militaires allemandes. Les conditions de survie étaient terribles, comme en témoignent ces dessins, réalisés par un déporté du nom de Gayot. Le camp a été le lieu d'atroces expériences «médicales» sur des juifs et des tsiganes, utilisant une chambre à gaz expérimentale.

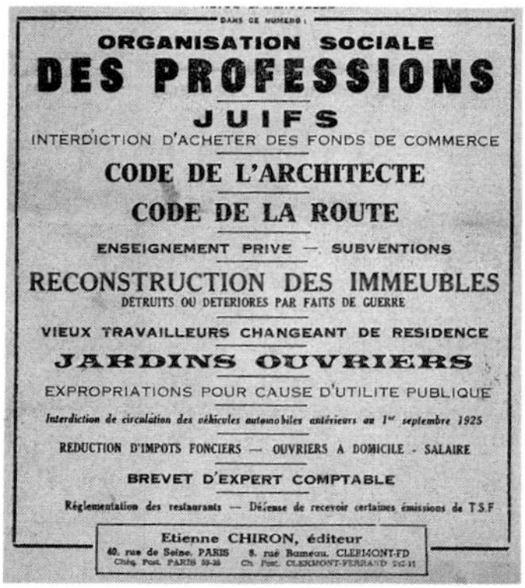

DANS CE NUMÉRO :

ORGANISATION SOCIALE
DES PROFESSIONS
JUIFS
INTERDICTION D'ACHETER DES FONDS DE COMMERCE
CODE DE L'ARCHITECTE
CODE DE LA ROUTE
ENSEIGNEMENT PRIVE — SUBVENTIONS
RECONSTRUCTION DES IMMEUBLES
DETRUITS OU DETERIORES PAR FAITS DE GUERRE
VIEUX TRAVAILLEURS CHANGEANT DE RESIDENCE
JARDINS OUVRIERS
EXPROPRIATIONS POUR CAUSE D'UTILITE PUBLIQUE
Interdiction de circulation des véhicules automobiles antérieurs au 1er septembre 1925
REDUCTION D'IMPOTS FONCIERS — OUVRIERS A DOMICILE - SALAIRE
BREVET D'EXPERT COMPTABLE
Réglementation des restaurants — Défense de recevoir certaines émissions de T.S.F

Etienne CHIRON, éditeur
40, rue de Seine, PARIS — 8, rue Bameau, CLERMONT-FD
Chèq. Post. PARIS 59-38 — Ch. Post. CLERMONT-FERRAND

directeur de cabinet de Pétain. L'impulsion meurtrière est venue cependant de l'Allemagne nazie qui poursuit son projet démentiel d'exterminer tous les juifs d'Europe.

Les persécutions antisémites connaissent deux grandes étapes. Dans un premier temps, de l'été 1940 au printemps 1942, de manière conjointe mais non concertée, les Allemands et Vichy pratiquent une politique visant à exclure les juifs de la société.

En zone occupée, à partir du 27 septembre 1940, les nazis promulguent une série d'ordonnances visant à définir les «juifs» : «Ceux qui appartiennent ou appartenaient à la religion juive ou qui ont plus de deux grands-parents juifs.» Les juifs se voient soumis à un recensement obligatoire auprès des autorités préfectorales, exclus de certaines professions (négoce, banque, assurances, cadres supérieurs, etc.), et dépossédés de leurs biens dans le cadre de l'«aryanisation».

De son côté, Vichy installe dès juillet 1940, sans pression de l'occupant, une commission visant à dénaturaliser les étrangers devenus Français depuis 1927, dont une grande majorité de juifs allemands, polonais, roumains, etc. Tournant décisif : il promulgue le 3 octobre 1940 un premier «statut des juifs» (un autre suivra le 2 juin 1941) plus sévère que

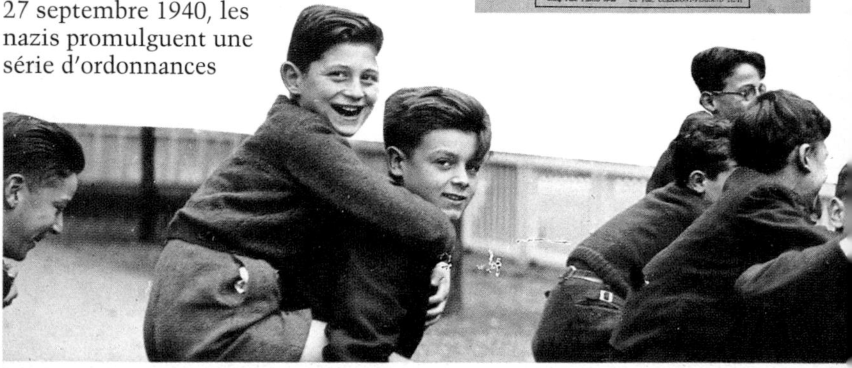

La législation antisémite française a été moins visible que les mesures allemandes (au centre, jardin public à Paris, en novembre 1942). Noyée au sein de nombreuses lois et dispositions nouvelles (ci-dessus, couverture d'une brochure d'information), elle a été abondamment commentée par d'illustres juristes et universitaires comme s'il s'agissait là de réformes anodines.

l'ordonnance allemande : si le conjoint est «juif», deux grands-parents (et non trois), réputés de «race» (et non de religion) juive suffisent pour être visé. Ces textes excluent les juifs de toute une série de métiers et établissent un numerus clausus à l'université et dans certaines professions libérales (avocats, médecins, architectes...).

Près de 3 400 fonctionnaires métropolitains juifs,

la plupart de la zone non occupée, sont révoqués. Le 4 octobre 1940, une loi française décrète également que «les étrangers de race juive» pourront être internés dans les camps.

Dans cette première phase, l'antisémitisme d'Etat pratiqué par Vichy n'est pas une contrainte directe née de l'occupation mais un choix politique propre qui bénéficie bien sûr d'un contexte «favorable», et entre en synergie avec la politique des nazis, qui n'ont pas encore mis en application leur plan d'extermination.

Le statut des juifs de Vichy et les ordonnances allemandes de zone occupée ne pouvaient s'appliquer qu'à condition de mettre en fiches la population juive française et étrangère (ci-dessus, appel au recensement en zone non occupée). Les nombreux fichiers établis par les autorités françaises ont facilité les déportations, même si tel n'était pas leur objectif.

Les rafles

La persécution connaît un tournant dramatique à partir de 1942. A l'automne 1941, les nazis mettent en application la «Solution finale de la question juive en Europe», qui touche la France l'année suivante. Cinq à six millions de personnes vont être déportées, puis systématiquement exterminées dans des «centres de mise à mort» et des camps d'extermination, tel celui d'Auschwitz-Birkenau.

Le 29 mai 1942, les Allemands prescrivent en zone occupée le port obligatoire de l'«étoile jaune», marque infamante qui frappe l'opinion, à tel point que Vichy se refuse à prendre une mesure similaire en zone sud, tout en imposant la mention obligatoire «juif» sur les cartes d'identité et les cartes d'alimentation des juifs français et étrangers. Les rafles deviennent massives. Jusqu'en juillet 1942, 5 000 personnes, surtout des hommes et des étrangers, avaient été arrêtées et internées dans des camps spécialement ouverts à cet effet : Pithiviers, Beaune-la-Rolande, et Drancy, près de Paris, point de départ des principaux convois de la mort. Les 16 et 17 juillet 1942 a lieu, à Paris, la première grande rafle, celle du Vel d'Hiv. Cette fois, près de 13 000 personnes sont arrêtées par la police française. Des familles entières sont jetées séance tenante dans les bus de la régie parisienne, ne pouvant emporter qu'un maigre bagage, dans une atmosphère qui confine parfois à la folie.

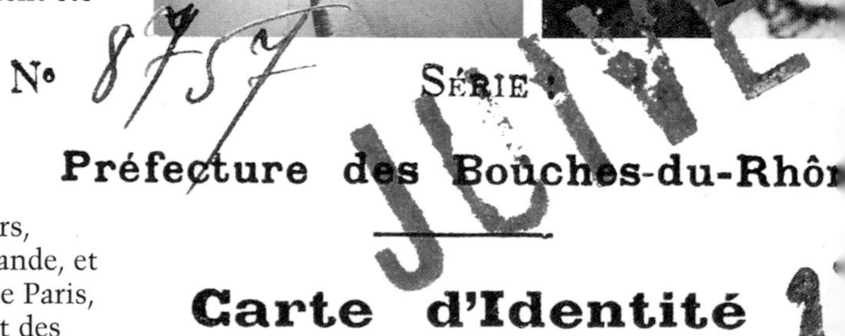

N° 8757 SÉRIE

Préfecture des Bouches-du-Rhô

JUIVE

Carte d'Identité

Après la rafle du Vel d'Hiv, le Directeur de la police municipale écrit : «Les opérations se déroulèrent sans incident et sans aucune réaction notable du public [...]. On doit enregistrer 5 suicides.»

Parmi cette foule hagarde, 4 000 enfants, les plus jeunes ont deux ans. Ils sont pour la plupart séparés de leurs parents. Sur demande expresse des autorités françaises, qui ne savent que faire d'un tel fardeau, les enfants de moins de six ans, en principe épargnés par les nazis mais devenus orphelins de fait, seront eux aussi déportés. Ces déportations, et le cortège de scènes d'horreur et de panique qui les accompagnent, se poursuivront jusqu'en août 1944.

Le prix de la «souveraineté»

Comment expliquer la complicité du régime pétainiste dans cette entreprise unique de destruction que fut la «Solution finale»? Tout d'abord, sa propre haine à l'égard des juifs et les lois antisémites qui en

❝Dans la rue, des juifs, portant de gros ballots, marchaient vite, poussés pas des inspecteurs. Je reconnus Joseph le rouquin, des policiers bousculaient brutalement sa mère. Des gens, aux fenêtres, regardaient, certains applaudissaient bruyamment. La mercière était très vieille. Elle m'a dit : «Sauve-toi, ne retourne pas chez toi.» Mais où aller?❞

A. Muller, *La Petite Fille du Vel d'Hiv*

résultèrent ont déstabilisé moralement et socialement *tous* les juifs, car ces lois s'appliquent à *l'ensemble* du territoire, Alsace-Lorraine exclue : en zone non occupée, bien sûr, où beaucoup de juifs, français et étrangers, fuyant les nazis, pensaient être à l'abri ; en zone occupée également où la persécution nazie contre les juifs s'est faite sous l'autorité conjointe d'ordonnances allemandes et de lois françaises. Ensuite, toujours dans le cadre de la collaboration d'Etat, le régime franchit une étape supplémentaire et accepte d'effectuer lui-même, *dans les deux zones*, les arrestations massives et de prendre en charge la gestion de la plupart des camps de regroupements (distincts de ses propres camps pour étrangers, situés en zone sud). Enfin, face aux demandes des services de Himmler qui réclament des «contingents» de plus en plus nombreux, Vichy s'est

trouvé confronté au problème des juifs de la zone non occupée. Il livre d'abord sans hésiter les juifs étrangers dont il veut lui-même se débarrasser depuis longtemps. En revanche, il montre des réticences à livrer en masse des juifs français car il craint les réactions d'une opinion de plus en plus hostile.

Il n'a jamais été dans les intentions du gouvernement né de la défaite, bien qu'antisémite, d'exterminer lui-même les juifs, même s'il leur a réservé un sort peu enviable : la «Solution finale» était une entreprise qui le dépassait complètement. En revanche, les autorités françaises n'ont pas pu et probablement n'ont pas voulu comprendre ce que

C'est à Pithiviers (photo à gauche) et à Beaune-la-Rolande, dans le Loiret, que furent transférés avant leur déportation vers Auschwitz les victimes de la rafle du Vel d'Hiv, dont la plupart des enfants arrêtés.

CERTIFICAT

D'APPARTENANCE A LA RACE JUIVE

Contraires à toutes les traditions de la France, les mesures antisémites allemandes et françaises ont entraîné nombre de situations aberrantes, comme celle qui consiste à justifier de son «aryanité».

signifiaient les déportations : peu de responsables pouvaient réellement douter que nombre de victimes allaient périr, ne serait-ce qu'à cause des conditions épouvantables de transport. Y participer activement, passer du stade de la politique autochtone d'exclusion à celui de la complicité meurtrière, c'était, dans une totale indifférence morale, démontrer une fois de plus la bonne volonté et la capacité souveraine du régime à faire régner l'«ordre» en France, fût-ce au prix d'une guerre contre des enfants.

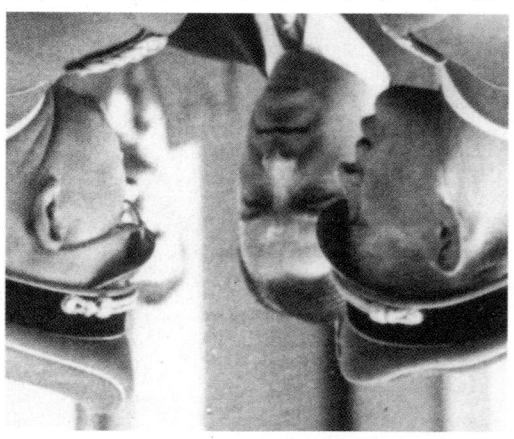

«Monsieur le Commissaire général aux questions juives...»

Les réactions de la population face aux déchaînements antisémites ne sont pas homogènes et elles varient avec le temps.

"Tulle, le 24 août 1942.

«Monsieur le Commissaire général,

Je me permets d'attirer votre attention sur un individu juif étranger, qui, par son activité néfaste, compromet la sécurité du pays et nuit à l'œuvre de redressement national. Il s'agit du nommé F...»

Des centaines de milliers de lettres de ce type sont adressées au Commissaire général aux questions juives, qui dépend du gouvernement français, ou à la Gestapo. Elles dénoncent un voisin, un concurrent, un gêneur, un «suspect». Elles émanent de toutes les couches de la population et pas seulement des esprits les plus fanatisés. L'antisémitisme se déploie sans retenue dans la presse collaborationniste, sous la plume d'écrivains illustres tel Céline, dans des officines de propagande, sur les affiches ou dans des expositions.

Plus discret que les Allemands – Pétain ne parle jamais des juifs dans ses discours – le gouvernement français, par ses lois et ses actes, favorise néanmoins tous les fanatismes individuels, car dans son sillage, lutter contre les juifs, c'est faire œuvre, non pas de collaboration avec l'ennemi mais de «redressement national».

Dans leur ensemble, les élites religieuses, intellectuelles et administratives, à de rares exceptions près, montrent une grande indifférence aux premières mesures antisémites, tout comme la plupart restent silencieuses devant la répression qui frappe les opposants. Dans le contexte plus qu'ambigu des années 1940-1942, marquées par l'aspiration à un retour à la normale et la pesanteur du quotidien, le sort de minorités opprimées provoque en général très peu de réactions. D'autant que l'antisémitisme imprègne le tissu social, de manière diffuse certes, mais repérable.

A partir de l'été 1942 cependant, une évolution se dessine car la répression s'intensifie et touche de plus en plus de personnes. Les rafles antisémites

Bien que contrôlés par l'occupant, la presse antisémite ou l'Institut d'études des questions juives, inauguré en mai 1941 (ci-contre), lui sont d'un intérêt négligeable en regard des accords conclus, en juillet 1942, entre le chef de la SS en France, Karl Oberg, et René Bousquet, secrétaire général à la Police (à gauche). Au cours de son procès, en 1946, Helmut Knochen, l'adjoint d'Oberg, a déclaré : «Bousquet a toujours très fermement insisté pour que toutes les mesures exécutives concernant les Juifs soient exclusivement laissées à la diligence de ses services.»

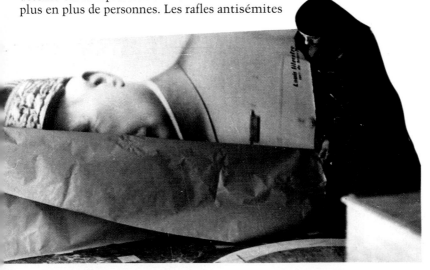

concernent désormais des foules de femmes et d'enfants, marqués, arrêtés, parqués comme du bétail au vu et au su de tout le monde. L'indifférence des premiers jours, les doutes et incertitudes à l'égard de Vichy perceptibles depuis 1941, se muent en une franche inquiétude. Qui peut désormais être sûr de n'être pas menacé un jour ou l'autre ?

La France des Justes

Face à la France antisémite des délateurs et des collaborateurs, nombre d'hommes et de femmes, souvent au péril de leur vie, accueillent de plus en plus les persécutés, les protègent et tentent de les faire échapper aux rafles. «Les amis, les voisins, des inconnus, sont nombreux à cacher ou à prévenir les victimes désignées, et, parmi les policiers, il y a un certain manque de zèle et même des cas de défaillance», écrit Georges Wellers,

SOUS L'ÉGIDE DE L'INSTITUT
D'ÉTUDE DES QUESTIONS JUIVES
21, RUE DE LA BOÉTIE - PARIS 8ᵉ

EXPOSITI

CE JUI

ET LA

FRANC

CE JU

ET L

Monsieur le Maréchal,

C'est un ancien combattant de 14.18 Légionnaire qui vous écrit.

Je viens d'assister à des scènes abominables : vous avez ordonné de séparer les femmes Israélites de leurs enfants, et de faire souffrir tous ces petits.

rescapé d'Auschwitz, à propos de la rafle du Vel d'Hiv. On se méfie par instinct des étrangers, mais les juifs de souche, malgré l'antisémitisme ambiant, sont perçus comme des compatriotes, des «Français comme les autres» qui partagent le sort du reste de la population : certains juifs sont même maréchalistes.

La hiérarchie catholique, pourtant fidèle soutien du régime, prend également ses distances. Et son influence est loin d'être négligeable. Dans une lettre pastorale d'août 1942, Mgr Saliège, archevêque de Toulouse, dénonce publiquement le sort fait aux juifs «traités comme un vil troupeau». Le cardinal Gerlier, primat des Gaules, couvre de son autorité la cache d'une centaine d'enfants juifs, à Lyon. Au Chambon-sur-Lignon, en plein cœur du «refuge cévenol», c'est tout un village qui se mobilise pour protéger des juifs. Cette France-là aussi a existé.

À l'automne 1941, l'exposition du palais Berlitz, à Paris, est un événement orchestré par la propagande allemande. Près de 200 000 personnes l'ont visitée, la plupart en payant les trois francs de droit d'entrée. Tous ne sont pas des antisémites (il y a parmi eux des enfants des écoles, des curieux et même des juifs). Mais sans être un succès, l'affluence n'est cependant pas négligeable. C'est après les rafles massives de l'été 1942 qu'émergent de véritables réactions de soutien (ci-dessus, lettre à Pétain du 12 septembre 1942).

Macabre bilan

Sur une population estimée à 350 000 individus avant guerre, environ 76 000 juifs de France ont été déportés dont seuls 2 500 ont pu survivre. Parmi les déportés, 2 000 enfants de moins de six ans, 8 700 enfants de six à dix-sept ans

Mais en ce moment sur l'orde des Boches ... le seul crime et d'être ju... ... ce qui ... révolte ... de tout ... français ... ve pas ces hor...

Si dès l'été 1942, certains comprennent la différence entre les rafles de juifs et la répression contre les résistants (extrait d'une lettre envoyée à Vichy, le 14 septembre 1942), personne n'imagine les visions d'épouvante que l'on découvre en avril 1945, lorsque sont rapatriés les premiers déportés (ci-contre, charnier à Auschwitz).

Il faudra des décennies pour admettre qu'un gouvernement français avait eu sa part dans le génocide des juifs, un crime à bien des égards unique dans l'histoire de l'humanité.

et 9 700 personnes de plus de soixante ans. La plupart des victimes ont été des étrangers (Polonais, Allemands, Russes), y compris quelques milliers de Français dénaturalisés. Les juifs français déportés ont été au nombre de 24 000 , dont 7 000 enfants nés en France de parents étrangers.

Les trois quarts des juifs de France, et tout particulièrement les juifs français, ont pu échapper au massacre, alors qu'en proportion de la population juive totale, les taux de mortalité des juifs hollandais ou belges sont beaucoup plus élevés. En chiffres absolus toutefois, le nombre de victimes françaises reste l'un des plus hauts. Les raisons d'un tel déséquilibre ? Elles sont complexes et hypothétiques : une plus grande dispersion des individus sur un territoire beaucoup plus vaste, des possibilités plus grandes de fuir (par les ports, par la zone italienne d'occupation qui protège certains juifs de la police... française), des forces de police allemandes (3 000 hommes) relativement peu nombreuses, des déportations arrêtées plus tôt qu'ailleurs grâce à la libération du pays en août 1944, une aide réelle de la part de la population, etc. En revanche, la politique menée par le gouvernement de Vichy a constitué un facteur aggravant : plus des quatre cinquièmes des juifs déportés ont été arrêtés par des uniformes français.

"Lorsque se mit à fonctionner le mécanisme automatique de la déportation, nul – nous le supposons pour son honnêteté et pour son honneur – n'a été assez distrait ou assez injuste pour ne pas voir avec effroi ce qu'était la déportation juive et où menaient les interminables convois plombés partant de Drancy, chargés pêle-mêle de femmes et d'enfants, de malades, de vieillards juifs, vers Auschwitz [...]. Nul n'a été assez négligent des idées directrices de la France pour ne pas ressentir quelle différence monstrueuse était faite entre les juifs et les autres."

Henri Hertz,
La Terre retrouvée.
Revue de la vie juive
en France, en Palestine
et dans le monde,
25 août 1945,
article transmis aux
jurés du procès Pétain.

«Il faut de plus en plus d'efforts pour s'absorber dans un travail qui ne touche pas directement à la guerre. L'impression que tout est devenu vain [...] en dehors de la lutte qui se poursuit sans nous, domine et donne à nos actes quotidiens un air d'irréalité», écrit Charles Rist, le 7 septembre 1942. Le général de Gaulle, chef d'une résistance qui s'affirme et s'unifie, l'avait prédit : les Français sont dorénavant plongés dans la guerre mondiale, une guerre qu'Hitler déclare «totale».

CHAPITRE V
GUERRE TOTALE ET GUERRE CIVILE

Tandis que Calvo, un des pères de la BD française, conçoit en secret *La Bête est morte*, allégorie patriotique du conflit mondial (ici, le bouledogue anglais, l'ours soviétique et le bison américain), la guerre civile fait rage (la Milice en Haute-Savoie, en 1944).

«Aucun Français ne doit se mêler à ce conflit»

C'est en ces termes que Philippe Pétain s'adresse aux Français, le 26 mai 1944, onze jours avant le débarquement allié de Normandie. Vaine incantation d'un chef ayant perdu le sens des réalités, face à une guerre qui touche à nouveau le sol français.

En novembre 1942, les Alliés débarquent en Afrique du Nord. Les Allemands répliquent en envahissant la zone non occupée. Vichy, dont la «souveraineté» est désormais plus que précaire,

L'AVIATION ANGLO-AMÉRI

DE TERREUR CONTRE LES

perd ses deux atouts essentiels : la flotte, sabordée en rade de Toulon, et l'Empire. D'abord fulgurante, l'offensive allemande à l'Est rencontre la formidable résistance des Soviétiques, galvanisés par la menace d'une destruction totale. Le 2 février 1943, la Wehrmacht capitule à Stalingrad, après des combats d'une violence inouïe. Certes, le Reich n'a perdu qu'une bataille, mais il est désormais sur la défensive, attaqué et bombardé sur son propre sol.

Dans ce contexte, Hitler décrète, en 1942, la «guerre totale», c'est-à-dire la mobilisation de toutes

❝La France, pour écrasée qu'elle soit, participe au redressement mondial. Ceux de ses enfants qui combattent serrent les rangs et redoublent d'efforts. Ceux qui ne peuvent encore le faire lèvent la tête vers l'espérance. Nous ne savons que trop que nos terres sont un champ de bataille, malgré le mensonge des armistices. Chez nous, l'ennemi et ses amis écoutent chaque jour grandir contre eux la haine et la menace. [...] Allons! Le pire va finir, le meilleur est en marche. Voici l'heure de Clemenceau!❞
De Gaulle, discours à la BBC, 4 mars 1942

les ressources physiques et humaines du Reich et des territoires qu'il contrôle. L'heure n'est plus au Blitzkrieg, ni aux victoires éclairs qui permettaient une mobilisation partielle mais à la lutte à mort, quel qu'en soit le prix, surtout si c'est le sang des autres.

La France, de loin le principal fournisseur économique de l'Allemagne, est touchée de plein fouet par ce changement de stratégie. Toute son activité est mobilisée directement ou indirectement au service de l'économie de guerre allemande. Les usines françaises tournent à plein rendement pour le Reich ; matières premières et produits alimentaires sont systématiquement détournés vers l'Allemagne.

De 1942 à 1944, les Alliés bombardent massivement les installations allemandes en France et les usines travaillant pour le Reich (à gauche, Billancourt, après le raid du 3 mars 1942 sur les usines Renault). L'occupant, Vichy et les collaborationnistes (au centre, titre du *Petit Parisien* doriotiste, 7 avril 1943), trouvent là un

...INE MULTIPLIE SES RAIDS

...ILLES DES PAYS OCCUPÉS

argument de propagande en apparence efficace : à cause des Alliés, les Français sont à nouveau plongés au cœur d'un conflit militaire qui, depuis juin 1940, se déroulait loin d'eux. Pourtant, bien que le Reich semble invincible jusqu'en 1943, ces raids, loin d'accentuer le découragement des populations, même dans les régions les plus touchées, sont perçus comme une étape nécessaire vers la libération. Un sentiment d'autant plus fort que des soldats français se battent aux côtés des Alliés (ci-contre, affiche de la France combattante en Afrique du Nord : à noter, la position centrale du drapeau français).

Tandis que le ravitaillement se tarit, les Français connaissent à nouveau la terreur des bombardements car les Alliés ne peuvent épargner un pays devenu la pièce maîtresse du futur «second front» européen. Entre 1943 et 1944, 600000 tonnes de bombes – le cinquième du tonnage largué par les Alliés en Europe – sont déversées sur le territoire. Usines, aéroports, voies de chemin de fer, zones de navigation maritimes et fluviales sont touchés. Des villes sont en partie rasées : Nantes, Rouen ou Caen. On dénombre des milliers de victimes parmi la population civile, près de 70000 au total, chiffre équivalent à celui des victimes de la répression et à celui des persécutions.

ÉTAT FRANÇAIS — DÉPARTEMENT DU CHER

Commune d

CONVOCATION

Service Obligatoire du Travail

(Loi du 16 février 1943.)

Recensement des Français et ressortissants Français nés en 1920, 1921 et 1922.

En exécution des prescriptions de la loi du 16 février 1943 et du décret du même jour, tous les Français et ressortissants français du sexe masculin, nés entre le 1er janvier 1920 inclus et le 31 décembre 1922 inclus et domiciliés sur le territoire de la commune, devront se présenter aux opérations de recensement qui aura lieu à

aux jour et heure indiqués ci-après

En cas d'absence, les parents ou autres membres de la famille sont tenus de se présenter aux lieu et place des intéressés aux jour et heure susindiqués.

Les hommes qui ne se présenteront pas aux opérationsde recensement seront, sauf excuses justifiées, classés d'office dans la catégorie « fort » et recevront immédiatement une affectation correspondant à cette aptitude physique.

Le Maire,

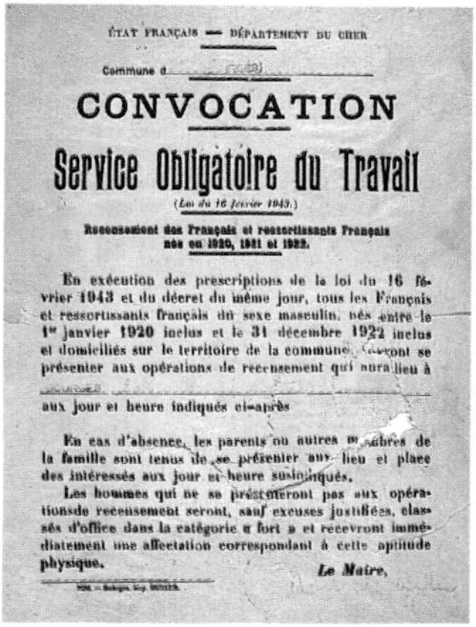

«Papa travaille en Allemagne»

Autre conséquence de la «guerre totale», le Reich exige l'envoi en Allemagne de près de deux millions de travailleurs français. Face à cette nouvelle menace, le gouvernement tente une fois de plus de sauvegarder l'illusion de sa souveraineté en acceptant de couvrir cette mise en esclavage. En septembre 1942, une loi décrète la mobilisation des hommes de dix-huit à cinquante ans et des femmes célibataires

En juin 1942, Laval invente la «Relève»: un prisonnier de guerre libéré contre trois ouvriers volontaires pour travailler en Allemagne (ci-dessous, Laval lors de l'accueil du premier convoi de prisonniers rapatriés, le 11 août 1942). Les Français récusent cet appel à la «solidarité nationale» : 17000 départs (mis en scène par la propagande, à droite) contre 250000 exigés par le Reich. Vichy instaure alors le STO (en haut).

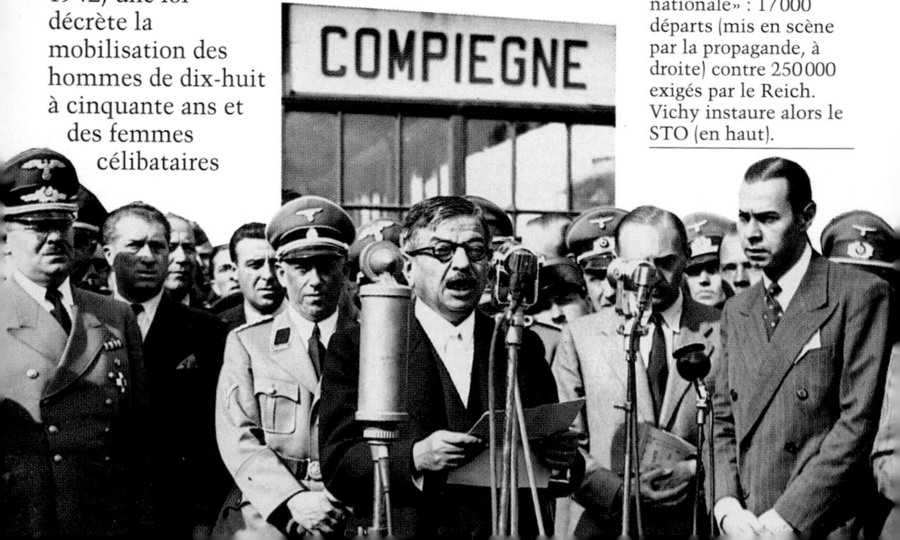

de vingt et un à trente-cinq ans, et en février 1943, une autre réquisitionne pour un «Service de travail obligatoire» (le STO) les jeunes gens nés entre 1920 et 1922.

Cette décision constitue un point de rupture. Ce ne sont plus seulement des minorités qui sont opprimées, mais l'homme de la rue, le Français moyen, sur tout le territoire. Ni juif, ni communiste, ni franc-maçon, ni résistant, le voilà pourchassé pour remplir un «devoir sacré» dont il ne comprend guère le sens. Raflés manu militari ou partis docilement, 650 000 infortunés se retrouvent dans les usines ou les fermes allemandes. «J'ai pas choisi d'être là, je me suis fait faire aux pattes comme un con, mais c'est la guerre quoi et l'*Abteilung sechsundviersig* (section 46) n'est quand même pas le Chemin des Dames» se souviendra Cavanna. Ce n'est pas non plus Buchenwald ou Auschwitz, car les STO français partagent souvent les conditions de subsistance de la population allemande et sont plutôt mieux accueillis que leurs compagnons d'autres nationalités.

Ces départs forcés désorganisent les familles et créent un trouble profond dans l'opinion. Toutes catégories confondues, deux à trois millions d'hommes, parmi les plus jeunes, sont absents,

«En février 1943, mon patron dut se présenter avec ses employés aux fins d'un recensement. Il ne nous est pas venu à l'idée de ne pas accomplir cette démarche parce qu'elle était officielle. Deux semaines plus tard, je me retrouvais en Allemagne sans l'avoir voulu.»

Louis D., électricien à Vincennes

laissant des femmes seules, aux prises avec une vie quotidienne devenue de moins en moins supportable. D'autant que l'angoisse monte de voir la guerre se terminer par un massacre général, tempérée il est vrai par l'espoir d'une libération prochaine.

Après le repli de 1941 et après le choc de l'été 1942, les Français basculent franchement dans l'hostilité et le refus. Les réfractaires au STO se multiplient. Ils partent se réfugier aux champs ou dans les montagnes, avant d'être récupérés par les maquis de la Résistance, qui, elle aussi, a pris une autre ampleur.

La nuit des héros

Qu'ils soient entièrement clandestins ou qu'ils mènent une double vie à l'insu de leurs voisins ou de leurs proches, les résistants sont d'abord des Français comme les autres, de toutes conditions sociales, même si certaines catégories traditionnellement de gauche (postiers, cheminots, enseignants...) franchissent plus volontiers le pas. Les femmes sont nombreuses et jouent souvent un rôle essentiel, telles les «agents de liaison». En proportion, les immigrés de toute

La guerre des images oppose d'un côté les résistants, aux moyens rudimentaires (à gauche, caricature du *Patriote enchaîné*; à droite, affiche détournée d'un film allemand), et de l'autre les services de Goebbels, au savoir-faire parfois contre-productif : l'«affiche rouge», censée stigmatiser des «criminels juifs étrangers», suscite de la sympathie envers les vingt-trois martyrs du groupe FTP-MOI de Missak Manouchian.

nationalité sont surreprésentés, à l'image des combattants communistes de la MOI («Main d'œuvre immigrée»). A l'exception des maquisards, en 1944, les résistants ne sont pas des marginaux épris d'aventure, mais des citoyens intégrés, citadins, occupant souvent des positions sociales

WASJBROT
Juif polonais
1 attentat,
3 déraillements

WITCHITZ
Juif hongrois
15 attentats

FINGERWEIG
Juif polonais
3 attentats
5 déraillements

FONTANOT
communiste italien
12 attentats

...OCZOV
f hongrois
f dérailleur
attentats

MANOUCHIAN
Arménien
chef de bande
56
attentats
150 morts
600
blessés

RAYMAN
Juif polonais
13 attentats

confortables : la
Résistance est plus
«bourgeoise» qu'on
ne l'a dit. Enfin, à partir
de 1943, il devient
difficile de distinguer cette
minorité agissante et sa
périphérie immédiate,
soutiens d'un jour, pourvoyeurs
de nourritures ou de caches

LA **LIBÉRATION**
PAR L'ARMÉE DU CRIME !

"En septembre 1940,
nous avons demandé
nos visas pour préparer
notre départ vers les
Etats-Unis ; puis nous y
avons renoncé.
Pouvions-nous laisser
derrière nous nos
familles, nos amis et
notre pays occupé ? A
partir de cette décision,
notre destin était tracé :
la participation à la
création et au
développement d'un
mouvement de
résistance, la vie de
tous les jours,
professionnelle et
clandestine, avec un
enfant né en 1941 [...].
Nous avions chacun
deux vies distinctes [...]
et nous faisions notre
possible pour qu'elles
ne se rencontrent pas.
Préserver une apparence
de vie normale était
l'un de nos soucis.
Notre foyer était pour
nous un élément
d'équilibre et de
détente. C'était si rare
dans notre monde de
clandestins, un couple,
une famille [...].**"**
Lucie Aubrac,
Ils partiront dans
l'ivresse

provisoires. Malgré la menace d'une dénonciation toujours possible, les résistants seront peu à peu «comme poissons dans l'eau».

Les résistants authentiques se distinguent toutefois sur un point essentiel : ils ont dit «non» à la défaite, à l'occupation et à la barbarie nazie. De droite comme de gauche, croyants ou athées, ils ont un double point commun : le désir de «faire quelque chose» et l'idéal patriotique. Le refus des premiers temps, réaction spontanée et disparate, s'est mué au fil des ans en un véritable esprit, «une mystique» qui aligne ses héros, ses martyrs, parfois ses traîtres, mais aussi ses écrivains, ses poètes et même

ses éditeurs, aux sensibilités les plus diverses.

Le général de Gaulle, chef de la «France libre», a choisi le combat extérieur, affirmant aussi haut et fort que possible que la «France éternelle» est en exil,

à Londres, et non pas à Vichy. Son influence est devenue peu à peu considérable. Le parti communiste, après les hésitations du début, se livre à une intense activité militante, recrutant bien au-delà de la sensibilité communiste. Fort d'une branche militaire, les Francs-tireurs et partisans (FTP), il mène la lutte armée contre l'occupant, multipliant les attentats individuels et les sabotages.

Dès 1940-1941, naissent également des «réseaux», à vocation plutôt militaire. Recrutés parmi la population, leurs agents (tel le célèbre colonel Rémy) ont pour mission d'informer la France libre ou les

La Résistance, ce sont d'abord des journaux clandestins : *Combat*, d'Henri Frenay, *Franc-Tireur*, de Jean-Pierre Lévy, en zone sud, *Défense de la France* (devenu après la guerre *France-Soir*), de Philippe Viannay, en zone nord, trois titres qui survivront à l'Occupation. Ce sont aussi les sabotages ferroviaires (ci dessous), opérés à l'approche du débarquement. Ce sont enfin les maquis, tel celui de l'Organisation juive de combat (ci-dessus, avec le drapeau sioniste bleu et blanc), exemple marginal mais significatif de la diversité des sensibilités résistantes.

Alliés de l'activité des troupes allemandes ou de permettre l'évasion d'aviateurs et de personnalités politiques hors du territoire. En zone sud, puis en zone nord, prennent également forme des «mouvements», une des originalités de la Résistance française. Organisés le plus souvent autour d'un journal clandestin (on comptera au total plus de mille titres différents !), ces mouvements ont pour objectif de sensibiliser la population, réalisant

d'abord un travail de nature politique et idéologique.

Enfin, après l'invasion de la zone libre, en novembre 1942, un certain nombre de cadres militaires, en France et en Afrique, dont le général Jean de Lattre de Tassigny, futur commandant de la Première armée française, abandonnent leur position légaliste et passent à la dissidence.

Un pour tous, tous pour un

A partir de l'automne 1941, le général de Gaulle tente d'unifier ces forces dispersées afin de raffermir sa légitimité intérieure et extérieure, non sans rencontrer de fortes oppositions. Le 27 mai 1943, l'ancien préfet Jean Moulin, mandaté par de Gaulle, fonde le «Conseil national de la Résistance». Le CNR réunit des représentants des grands mouvements de résistance, ceux des deux principaux

partis politiques actifs dans la lutte clandestine (communistes et socialistes), des syndicalistes (la CGT, réunifiée, et la CFTC), ainsi que des personnalités du centre et de la droite, appartenant aux anciens partis de la IIIe République. L'objectif premier du général de Gaulle et de la Résistance est de mettre sur pied une armée afin de participer le moment venu à la libération du pays. A l'extérieur, la France combattante dispose à partir de 1943 d'une armée française reconstituée par la rencontre parfois houleuse entre les Forces françaises libres gaullistes (Leclerc, Kœnig) et les armées d'Afrique, fidèles à Vichy jusqu'en novembre 1942. En France même, sont constituées des Forces françaises de l'intérieur (les FFI), fusion plus ou moins réussie

> **"**Il serait fou et criminel de ne pas utiliser [...] ces troupes prêtes aux sacrifices les plus grands, éparses et anarchiques aujourd'hui, mais pouvant constituer, demain, une armée cohérente de «parachutistes» déjà en place.**"**
>
> Jean Moulin, 25 octobre 1941

L'ACTION DES FRANCS-TIREURS ET PARTISANS FRANÇAIS

Résumé du Communiqué national hebdomadaire des F T P F - N° 80

des divers groupes de résistants armés, où les FTP communistes occupent une place prépondérante.

L'aspect militaire de la Résistance est toutefois moindre que son rôle politique. Grâce à l'unification, elle s'est peu à peu constituée en un véritable État, dépositaire d'une légitimité nationale et internationale forgée dans la lutte contre le nazisme. En 1944, elle dispose d'un pouvoir exécutif (le Comité français de libération nationale, puis Gouvernement provisoire de la République française) et d'une instance législative (l'Assemblée consultative d'Alger). Dans l'esprit du général de Gaulle, ces institutions provisoires s'inscrivaient «naturellement» dans la continuité républicaine. Elles devaient d'abord faire face à de nombreuses tâches : aider à la libération du territoire, rétablir l'ordre républicain contre Vichy, épurer les traîtres et collaborateurs – autant que possible dans le respect du droit – et enfin éviter un gouvernement d'occupation allié. Cependant, l'un des écueils majeurs que rencontre la Résistance réside dans le difficile compromis entre les diverses aspirations dont elle est la résultante fragile.

Né en 1899, Jean Moulin est préfet d'Eure-et-Loir en 1940. Lors de la défaite, il tente de se suicider pour n'avoir pas à signer sous la contrainte du vainqueur un texte déshonorant l'armée française (l'écharpe masque une cicatrice à la gorge, page de gauche). Révoqué par Vichy, il rejoint de Gaulle à Londres en octobre 1941 afin de l'informer de la situation des résistants en zone sud. Parachuté en France le 2 janvier 1942, il a mission de créer une armée secrète qui doit, le jour venu, participer aux combats de la Libération. Arrêté le 21 juin 1943, il est torturé par Barbie et meurt sans avoir parlé. Son rôle a été crucial dans l'unification de la Résistance sous l'autorité du chef de la France libre. Malgré de vives oppositions, il est parvenu à mettre sur pied les bases d'une armée et d'un État clandestins incluant toutes les tendances politiques (ci-dessus, un des bulletins des FTPF communistes).

Dans
leur
majorité,
les résistants,
au premier
rang desquels les
communistes et
leurs sympathisants,
prônent des transformations politiques
«révolutionnaires» et non une simple restauration
de l'ordre républicain traditionnel.

A la veille de la Libération, le pays affronte donc
une situation plus que délicate. A l'arrière-plan des
combats militaires, se joue une lutte pour le
pouvoir qui oppose d'un côté une Résistance unie
mais non uniforme et, de l'autre, les forces de
Vichy et les partis de la collaboration dont le sort
est totalement lié aux destinées du Reich. Les
Français, dont les sympathies penchent vers les
résistants, n'en restent pas moins attachés à une
certaine image – illusoire – du pétainisme, celui des
débuts, celui du père protecteur. Ils sont partagés
entre l'espoir et le désir d'une libération tant attendue
et la peur de voir s'étendre la guerre civile.

«Contre le bolchevisme et la lèpre juive»

Face à la montée des résistances, les partisans de
la collaboration extrême intensifient leur activité.
Ils n'ont pourtant jamais été très nombreux.
Les partis collaborationnistes (le Parti populaire

UNION POPULAIRE DE LA JEUNESSE FR
10 , RUE DES PYRAMIDES PARIS
CHEF : JACQUES DORIOT

la jeunesse ... EST
DORIO

L e symbole adopté
par la Milice de
Vichy – le «gamma»,
référence directe à la
croix gammée (en haut,
à droite) – range sans
ambiguïté celle-ci dans
le camp des
collaborationnistes,
à l'image des partis
contrôlés par les nazis
(affiche des jeunes du
PPF ci-dessus).

français de Jacques Doriot, ou le Rassemblement national populaire de Marcel Déat) n'ont jamais réuni plus de quelques dizaines de milliers de sympathisants et encore moins de militants actifs. Ils ont pris leur essor en 1941, après l'attaque allemande contre l'URSS. En dépit de leurs rivalités parfois sanglantes, ils sont tous partisans d'instaurer en France un système totalitaire comparable à celui du nazisme. Bien qu'ils soient financés par l'occupant, leur influence réelle est faible. Elle se limite à la diffusion en zone nord d'une presse pro-nazie, peu écoutée, sauf quelques grands titres tombés sous tutelle – *Paris-Soir*, *Le Petit Parisien* – ou quelques organes à réputation intellectuelle – *Je suis partout*, *Les Nouveaux Temps*, *L'Œuvre*.

Une dizaine de milliers de Français à peine se sont engagés, pour combattre sur le front de l'Est, dans des unités militaires allemandes, telle la Légion des volontaires français contre le bolchevisme (LVF), chiffre qui est infiniment inférieur au taux d'engagement des Belges, des Hollandais ou des Norvégiens.

Plus importante, en revanche, a été la création de la Milice française, en janvier 1943, par le chef du gouvernement, Pierre Laval. Celui-ci espère contrebalancer l'influence des collaborationnistes parisiens, entièrement contrôlés par l'occupant, et offrir un gage supplémentaire de bonne volonté en durcissant la lutte contre la Résistance.

Fondée sur les principes de la Révolution nationale, la Milice en est l'expression la plus radicale. Elle est à la fois un mouvement politique fasciste et un

"Dans Thorens, les camions embarquent par fournées les fameux résistants qui, traqués par les forces du maintien de l'ordre, débusqués par elles de ce plateau inexpugnable où la Milice campe aujourd'hui dans les anciens P.C. de la «résistance», se rendent en foule. Car la fin de cette aventure tragique, déguisée en épopée par les menteurs de Londres, c'est la capitulation, à un rythme accéléré, des bandes qui, pendant des mois, ont terrorisé le pays et en qui les naïfs et les canailles prétendaient incarner le patriotisme français.**"**
          Philippe Henriot,
Radio-Paris, 29 mars 44

Le 26 mars 1944, la Milice fait appel à la Wehrmacht pour réduire le maquis des Glières, en Haute-Savoie. Elle participe aussi à l'élimination du maquis du Vercors, en juin 1944 (à gauche).

organisme officiel, qui mène une action répressive contre résistants, réfractaires au S.T.O., juifs, «gaullistes», au nom du gouvernement français.

Sous la pression des SS, son chef, Joseph Darnand, entre au gouvernement en décembre 1943, comme secrétaire général au Maintien de l'ordre. Peu après, c'est au tour de l'éditorialiste de Radio-Paris Philippe Henriot. Avec eux, c'est toute une organisation totalitaire qui pénètre peu à peu les rouages du gouvernement : en juin 1944, la Milice contrôle environ 80 000 hommes, dont une grande partie des forces de police régulières, qui ne peuvent se soustraire à cette mise sous tutelle et deviennent des forces auxiliaires de l'occupant. La Milice transforme le régime autoritaire et paternaliste de 1940 en un Etat policier. Elle est l'aboutissement de l'engrenage dans lequel s'est engagé le gouvernement de Vichy.

Les miliciens pourchassent suspects et résistants, instaurent des cours martiales, fusillent sans jugement, pratiquent, comme la Gestapo, tortures,

massacres et exactions, contre une population d'autant plus terrorisée qu'ils agissent sous un uniforme français et se réclament du Maréchal – celui-ci attendra le 6 août 1944 pour s'inquiéter d'un tel déferlement de violence.

Quand Paris se met en colère

Vichy, dimanche 20 août 1944. Un détachement allemand cerne l'Hôtel du Parc. Une heure après, Pétain est emmené de force à Belfort, d'où il

"On imagine les Alliés, comme des figures d'images d'Epinal, pourvus de ressources inépuisables, tout prêts à les prodiguer au profit de cette France que, pense-t-on, leur amour pour elle les aurait conduits à délivrer et qu'ils voudraient refaire puissante à leurs côtés.**"**

Charles de Gaulle,
Mémoires de guerre

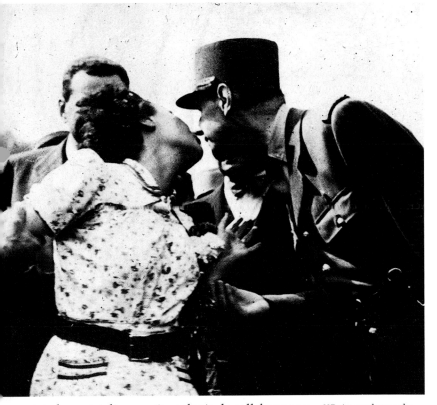

rejoindra, suivi d'une petite colonie de collaborateurs en cavale, le château baroque de Sigmaringen. Né dans la tragédie, le régime de Vichy agonise dans un décor d'opérette.

Paris, vendredi 25 août 1944. Le général de Gaulle descend à pied les Champs-Elysées, suivi et acclamé par une «marée humaine» en proie à une liesse indescriptible. Née dans l'isolement total, la France du refus vient de prendre en mains les destinées du pays.

En cet été 1944, les événements se sont accélérés. Débarqués le 6 juin en Normandie puis le 15 août en Provence, les armées alliées ont pris les Allemands en tenaille. A leurs côtés, les forces françaises, modestes,

❝Puisque chacun de ceux qui sont là a, dans son cœur, choisi Charles de Gaulle comme recours de sa peine et symbole de son espérance, il s'agit qu'il le voie, familier et fraternel, et qu'à cette vue resplendisse l'unité nationale.**❞**
Charles de Gaulle,
Mémoires de guerre

mais avides d'effacer l'humiliation de 1940 sont acclamées partout. La bataille est rude : Caen, situé à quelques kilomètres des plages du Débarquement, n'est libéré que le 9 juillet. Strasbourg ne verra les chars de Leclerc que le 23 novembre.

La libération de la France est longue et relativement difficile, moins pourtant que ce que l'on redoutait. Les maquis se battent à visage découvert contre l'occupant et les miliciens, en Auvergne, dans le Vercors, dans le Limousin, souvent au prix de pertes considérables car ils sont mal équipés. Le pays est libéré grâce aux chars américains mais bien des régions secouent seules le joug de l'occupant, affaibli et d'autant plus féroce : Tulle, Oradour-sur-Glane et bien d'autres lieux entrent dans l'Histoire comme villes martyrs. Dans certaines zones, la lutte n'oppose que résistants et miliciens.

Fait hautement symbolique, plus politique que militaire, Paris se libère sans l'aide directe des Alliés, dans une atmosphère d'insurrection populaire. Au cours des premières semaines de la Libération, le général de Gaulle réussit à imposer son autorité et celle de son gouvernement provisoire, fort d'une légitimité spontanée qui éclate partout sur son passage. En dépit des rivalités

A l'effervescence des barricades succède la haine (ci-contre, prisonniers allemands obligés de piétiner leur drapeau), réponse spontanée aux ruines d'Oradour (à droite) et d'ailleurs.

internes et des incertitudes quant à l'attitude des communistes, tentés par une stratégie autonome, la légalité républicaine réintègre la capitale et s'impose, non sans mal, dans tout le pays. La France pourra même bénéficier d'un strapontin à la table des vainqueurs, lorsque la guerre se terminera en Europe, le 8 mai 1945, situation à peine imaginable cinq ans plus tôt. La parenthèse honteuse de Vichy est prête à se refermer.

«Ceux qui ont trahi la France dans son âme»

La Libération est aussi l'heure des comptes. Dès 1943, les autorités de la Résistance ont décidé de châtier les traîtres et tous ceux qui se sont mis au service du pouvoir issu de la défaite. Pourtant, pétainistes et collaborateurs

ont été bien autre chose que de simples traîtres. La Seconde Guerre mondiale, fort différente de la Première, a été non seulement un conflit entre des nations mais aussi un affrontement idéologique sans merci. Dans tous les pays occupés par les puissances de l'Axe, la guerre a entraîné des fractures internes.

"Un peuple qui ne sait pas haïr ses oppresseurs se trouve infériorisé dans le combat et finit par sombrer dans la servitude et la mort. La haine est un devoir national. Elle doit donc habiter nos cœurs. Et cependant, en pleine recrudescence de la guerre, nous entendons murmurer des paroles de réconciliation et prononcer des plaidoyers larmoyants. C'est inadmissible. On ne se réconcilie pas avec la trahison. Notre haine, c'est une haine française. Nous la voulons vivace et féconde. Nous la voulons ardente et génératrice d'action. Elle doit être semblable à la haine inextinguible des patriotes français de 1792, à celle qui est exprimée par notre immortelle *Marseillaise*, lançant de Strasbourg son cri de guerre : «Qu'un sang impur abreuve nos sillons.»"

L'Humanité,
11 janvier 1945

PROFITEURS ?

Parfois de véritables guerres civiles ont éclaté. «Epurer» ne signifie donc pas simplement châtier des traîtres mais punir et mettre hors d'état de nuire des adversaires politiques, des partisans du nazisme et des ennemis de la démocratie.

En France, l'épuration revêt un caractère double. D'un côté, durant la phase des combats de la libération, entre juin et novembre 1944, donc en pleine guerre, se déploie une épuration dite «sauvage» : près de 9 000 personnes sont exécutées hors de toute instance formellement légale, de la manière la plus sommaire ou après être passées devant des «cours martiales» composées de résistants. Si les victimes sont essentiellement des miliciens et des collaborateurs actifs, capturés après de réels combats, on assiste aussi à de véritables scènes de lynchage : femmes tondues, suspects sortis de leur prison et abattus, familles entières exécutées. Dans un pays où l'autorité de l'Etat met du temps à se rétablir, ces débordements expriment une haine trop longtemps contenue. Encouragée par une minorité de «résistants de la dernière heure» et empreinte d'un obscur sentiment de culpabilité, cette violence spontanée prend un caractère exutoire.

Dans le cadre de l'épuration légale, 1 500 personnes

L'épuration (ci-dessus, exécution d'un collaborateur à Rennes) répond certes à un besoin de justice, mais elle sert aussi de dérivatif aux difficultés matérielles, plus graves en 1944-1945 que sous l'Occupation, un thème exploité par les communistes (en haut, affiche d'un Comité de libération).

la CAISSE

"Elle est faite, cette tradition française, [...] des qualités fondamentales des hommes de toutes les couleurs, de toutes les races, de toutes les nations et de toutes les croyances, de tous les territoires et de tous les horizons. Elle est faite, cette vocation, de ce sens de l'universel. [...] Or, voilà que l'acceptation de la politique de collaboration conduisait à oublier toutes ces valeurs [...].

sont effectivement exécutées, une sur six sentences de mort prononcées. 45 000 personnes sont condamnées à des peines de prison. La plupart de ces sentences sont délivrées pour intelligence avec l'ennemi en temps de

Comité de Libération.

guerre. Par ailleurs, 50 000 personnes sont condamnées à la «dégradation nationale», non pour trahison, mais pour avoir participé ou soutenu activement le gouvernement issu de la défaite et

C'était la trahison de la France dans l'essentiel de sa vigueur. Ce que les collaborateurs ont fait, ce n'est pas une

LE FIGARO

Les gens qui ne veulent rien fa.re de r'en
s'avancent rien et ne sont bons à rien.
BEAUMARCHAIS.

CTEUR : Pierre BRISSON

2 francs

ÉDITION
de 4 heures

MARDI **24** JUILLET 1945
N° 292   119ᵉ ANNÉE

LE PROCÈS DU MARÉCHAL PÉTAIN
s'est ouvert au Palais de Justice

« LA COUR NE REPRÉSENTE PAS LE PEUPLE FRANÇAIS, JE NE RÉPONDRAI A AUCUNE QUESTION » a déclaré l'accusé

les mouvements de la collaboration, pour avoir en somme «trahi la France dans son âme», dans ses valeurs, comme l'explique le résistant et garde des sceaux Pierre-Henri Teitgen.

Enfin, sur la centaine de dignitaires de Vichy traînés en Haute-Cour, seuls trois ont été fusillés (Pierre Laval, Joseph Darnand, le chef de la Milice,

erreur politique, ce n'est pas une faute politique, c'est le reniement des raisons mêmes d'exister de notre pays.**

Pierre-Henri Teitgen,
5 avril 1946

et Fernand de Brinon, l'«ambassadeur» de Vichy auprès de l'occupant). Pétain voit sa peine de mort commuée en détention à vie. Il finira ses jours à l'île d'Yeu, suscitant chez une minorité de fidèles un culte post-mortem qui dure encore de nos jours.

L'épuration française a été plus étendue que dans d'autres pays mais moins brutale eu égard à la situation inédite de la France occupée. Elle a été inégale, frappant souvent fort au début et s'abattant plutôt sur les sans-grades. Elle n'a pu éviter d'apparaître comme une justice politique.

Dans le contexte de l'époque, elle était perçue d'abord comme une nécessité morale, compte tenu du nombre des victimes tombées à cause de complicités françaises. Elle était de surcroît réclamée par une grande majorité de Français, avant que ceux-ci ne réalisent que les procès et les exécutions prolongeaient à leur manière la guerre civile : en 1951-1953, après des débats houleux, la IVe République votera l'amnistie. Enfin, les tribunaux de l'épuration ont été dans l'incapacité

Pierre Laval a symbolisé en toute conscience la politique de collaboration avec le Reich. Mais son procès, en octobre 1945 (ci-dessous), n'a pas été un modèle de justice et suscite un malaise y compris chez de nombreux résistants. Insulté par les jurés de la Haute-Cour, empêché de se défendre dans des conditions normales, il est condamné à mort et exécuté après une tentative de suicide. Un mythe entretenu surtout par les maréchalistes en a fait depuis l'homme du «mauvais Vichy», par opposition à un «bon Vichy» qui aurait été celui de Pétain.

de juger de manière spécifique ceux qui avaient participé au génocide des juifs. Ni les magistrats, ni l'opinion d'alors ne pouvaient réellement prendre la mesure de ce qu'avait d'exceptionnel ce «crime contre l'humanité», qui dépassait – et de très loin – les cadres juridiques et moraux de la France (et de la plupart des autres nations touchées) en 1945.

C'est pourquoi, cinquante ans après, éclatent encore des affaires qui mettent en cause d'anciens fonctionnaires de Vichy, soupçonnés de complicité dans la «Solution finale» (René Bousquet, Maurice Papon, et le milicien Paul Touvier). Barbie, l'ancien responsable de la Gestapo de Lyon, a été condamné à perpétuité en 1987. En avril 1994, Paul Touvier s'est vu infliger la même peine, après un non-lieu accordé en 1992 et cassé. Il aura été le premier et sans doute le dernier Français jugé pour crimes contre l'humanité.

Recherché depuis 1945, Klaus Barbie, l'un des chefs de la SS à Lyon, est extradé en février 1983 (ci-dessus, dans l'avion, avec un journaliste bolivien). Il est inculpé de «crimes contre l'humanité» et incarcéré à Montluc, là où il tortura à mort Jean Moulin. Son procès, à l'été 1987, est l'occasion pour les plus jeunes de prendre conscience de ce que fut le nazisme et il permet d'aborder un aspect négligé par les procès de l'épuration: celui des crimes de la «Solution finale», imprescriptibles depuis 1964.

Quatre ans au cœur de notre histoire

Au sortir de la guerre, la France est un pays en partie dévasté qui a perdu son rang de puissance de premier plan et qui, bientôt, va perdre son statut de puissance impériale. Le nombre des victimes est important,

200 000 soldats tués, 150 000 civils décédés par suite des bombardements et autres cataclysmes, auxquelles s'ajoutent 150 000 victimes de la répression et des persécutions. Au total, plus d'un demi-million de morts. C'est moins que d'autres pays (URSS, Pologne, Grèce et Allemagne). C'est beaucoup moins que durant la Première Guerre mondiale.

Mais ces morts sont en majorité des civils, des femmes, des enfants. Ils sont la conséquence de la répression, celle des nazis bien sûr, mais aussi celle de Français. Ils sont le résultat d'une confrontation

En 1971, dans le sillage de Mai 68, le film de Marcel Ophuls, *Le Chagrin et la Pitié,* déclenche un débat national longtemps occulté sur l'attitude des Français durant les années noires. Interdit à la télévision jusqu'en 1981, il met en pièces la légende rose d'un pays tout entier résistant. Mais il amorce en retour une légende noire, souvent injuste : celle d'un peuple vautré dans la collaboration.

LE MONDE — Mercredi 9 février 1983 •••

armée entre les collaborateurs et les résistants, et entre les troupes pétainistes et les troupes gaullistes dans l'Empire. Enfin, les persécutés sont morts dans un enfer que la guerre ne justifiait aucunement, victimes d'une idéologie meurtrière dont le souvenir pèse encore de tout son poids parmi les générations qui ont vécu le drame.

Le procureur général Mornet, qui requit la mort contre Pétain, publiait en 1949 ses Mémoires sous le

Paul Touvier a été condamné à la réclusion à perpétuité

titre : *Quatre ans à rayer de notre histoire.* Il parlait bien sûr des quatre années d'un régime désormais honni par des Français pressés de retrouver le pain, la paix et la liberté. Après la guerre, la France se relève de ses cendres. Elle redevient une puissance écoutée et une terre de démocratie. Les Français ont pu, jusque dans les années 1970, refouler leurs ambivalences de l'époque, calmer leur sentiment de culpabilité et se satisfaire de la lecture gaulliste ou communiste de cette période, les présentant tel un peuple résistant encore et toujours à l'envahisseur. Ils ont pu oublier ou passer sous silence leur ferveur envers le Maréchal et garder en mémoire les beaux jours de la Libération plutôt que les heures noires de la débâcle. Ils ont pu longtemps occulter – ou ignorer – le fait que des populations entières furent exterminées avec la complicité d'un gouvernement français, non sans une certaine indifférence. Il n'empêche que ce passé resurgit périodiquement, agitant les esprits et les consciences. Car ces quatre années sont inscrites au fer rouge dans l'histoire et la mémoire des Français.

« La République n'a jamais cessé d'être » déclare le général de Gaulle en 1944. On espère alors voir se refermer la «parenthèse» de Vichy (page suivante). Mais le mythe résistancialiste, qui a surestimé les actes de révolte et sous-estimé l'importance du pétainisme, s'effondre dans les années 1970. Après le procès Barbie (à gauche, dessin de Plantu), le procès Touvier a soulevé la

question des crimes contre l'humanité commis par des Français. Les années noires continueront-elles de faire l'actualité politique et judiciaire ?

TÉMOIGNAGES
ET DOCUMENTS

L'Occupation vécue par...

Sur les années noires, nombreux sont les mémoires rédigés après la guerre.
Plus rares sont les journaux intimes d'époque écrits au jour le jour.
Sans chercher une représentativité illusoire, on a sélectionné ici
quelques extraits de journaux personnels laissés non par des écrivains célèbres,
mais par des femmes et des hommes de toute condition,
modeste ou aisée, des citadins ou des ruraux,
de zone occupée, libre, annexée....,
aux engagements secrets ou déclarés.

Un Lorrain, de la ligne Maginot à l'annexion

Originaire d'une petite commune de Moselle près de la frontière, Adrien Printz est mobilisé dans la région fin août 1939, à trente et un ans. Il commence un journal et y décrit la drôle de guerre puis la défaite. Fait prisonnier, puis libéré car de «descendance allemande», il rentre chez lui en juillet 1940 pour subir comme tous les Mosellans et Alsaciens, la réannexion larvée de sa terre natale.

U n «Malgré nous» rapatrié en 1945.

Dimanche 3 septembre 1939

Il n'y a rien eu durant la nuit. Seule une fumée verte a été aperçue dans le ciel au-dessus des bois et les hommes ce matin se reprennent à croire à une prochaine libération. Les cloches au loin sonnent dimanche. Nous continuons à creuser la terre. Que font les miens?

Après-midi. L'Angleterre vient de déclarer la guerre à l'Allemagne. Il n'y a plus d'espoir. Nous occupons notre position contre le réseau anti-char près de l'Observatoire de Boust. Nous ferons le guet pour signaler une approche ennemie avec mission de tirer sur tout ce qui se présentera de suspect.

Mon Dieu! Faites qu'il n'en soit rien! Des femmes errent sur la route. Elles étaient venues pour voir les leurs et c'est la guerre et elles errent croyant toujours possible une rencontre mais une ronde surgit et on les chasse. Si Jeanne était parmi elles... J'ai mal. Nous retournons à l'abri, nous reviendrons sur la position à la nuit tombée. Nous prenons soin de bien relever le parcours, car ce ne sera pas chose aisée de nous retrouver à travers bois et labours.

Je m'assieds sur une cloche de l'abri.

Est-ce la dernière pause? Je suis seul, affreusement seul. Je me raidis pour ne pas pleurer. Jeanne! Gisèle! Mère!

J'ai peur, j'ai peur de tout perdre!

Mon Dieu faites que la paix demeure! Je prie! Toutes les prières que je sais y passent. Pour tout le monde c'est la guerre et qui pis est, tous y sont résignés.

L'ultimatum expire à cinq heures. Il est quatre heures.

J'entre dans une heure d'affreux désœuvrement.

Le ciel se couvre. Le tonnerre au lointain gronde. La pluie commence, quatre heure trente, dans une demi-heure c'est la guerre!

Cinq heures.

«Ça y est!» «Quoi?» «La guerre!» «Allons donc!» N'aurait-on pu s'attendre à je ne sais quelle rougeur dans le ciel!...

– «A la soupe»!

Je suis de soupe et je m'active. J'arrive à ne plus penser pendant quelque temps.

Deux cuisiniers nous pourvoient d'un copieux casse-croûte : quatre litres de vin! Nous festoierons une dernière fois!

L'arrivée de l'ambulance qui ravitaille l'abri en médicaments nous inquiète à nouveau. Toutefois quelqu'un rapporte que le major souriait. Décidément mieux vaut ne rien entendre. J'entends néanmoins, pendant que j'écris, la sonnerie du téléphone. Pour l'amour de Dieu quoi encore! Je sors aux nouvelles : assis en rond les hommes discutent de leurs petites affaires : c'est à n'y rien comprendre!

Radio Luxembourg :

– «La déclaration de guerre! Seulement la France n'attaque pas, pas encore.» Je vais me coucher. La nuit passe sans alerte.

Lundi 4 septembre 1939

Lundi matin nous retournons creuser la terre boueuse. Le lieutenant qui accepte un quart de vin, nous dit que la guerre n'est pas déclarée mais que nous sommes en état de guerre. Mon Dieu quand donc serons-nous fixés? Je voudrais rentrer. J'en ai assez des bois pour quelque temps! J'ai des maux d'estomac. Est-ce l'angoisse? J'ai la nausée de tout et de tous.

Nous pataugeons dans la boue. Personne ne passe sans qu'on lui demande ce qu'il y a de neuf. Nous cherchons des nouvelles et les craignons. L'incertitude nous pèse et nous console à la fois. Je manque d'air par moments.

Il n'y a plus de tabac... On voit des hommes qui se partagent une cigarette. Installés comme nous sommes, nous nous exposons au feu de nos propres armes. Nous discutons de la peur : la peur est en nous. Il y a vingt-quatre heures à présent que nous sommes en guerre et rien encore ne s'est passé!

De garde cette nuit du 4 au 5 septembre 1939.

Je cherche refuge dans l'abri à l'heure où les autres dehors palabrent. J'ai des brûlures d'estomac, c'est le pinard. Il n'y a pas d'eau potable ici. [...]

Dimanche 8 octobre 1939

Travaux de terrassement. Les bois sont mouillés, il fait froid. La monotonie de cette existence finit par me peser terriblement. Le lieutenant ce matin nous invite à régler nos différends entre nous, à coups de poing sur la figure et de coups de pied au derrière. Drôle de proposition. Est-ce la guerre entre nous qu'il recherche? Il est certain que cela faciliterait son travail...

Quatre jours de consigne à un homme qui a omis son étui à baïonnette : matin et soir à se présenter au lieutenant en tenue de campagne complète. Tracasseries de toutes sortes quand déjà nous n'avons pas assez de notre bonne volonté pour tenir : faut-il que l'on vienne nous démoraliser par des tracasseries semblables! Comment après cela croire encore en des maîtres et à une mission sociale et civilisatrice de l'Etat : art, culture, pensée! Je vois le ricanement de mépris de certains officiers...

Nous relevons un groupe qui se rend au repos à Garche. Quatre kilomètres à travers bois et boue à la nuit tombante. Sommes-nous arrivés? Il semble que oui. Seulement ce n'est que le début de nos peines. Pour commencer il se met à pleuvoir. Avant qu'officiers et sous-officiers aient fini de se concerter, les ténèbres sont complètes. Alors par buissons qui vous giflent de leurs feuilles mouillées au visage, les pieds coincés dans la boue du sentier, le long de tranchées profondes, par-dessus des camouflages, fourbus, gênés par le barda, tantôt c'est un fusil qui accroche une branche, la branche frappe le suivant, tantôt un homme tombe : jurements, hurlements. Enfin nous arrivons à une «sape» où il n'y a rien de prêt et où règne un fouillis d'outils, de planches! puis c'est la garde. Nous la montons à cent mètres de la sape, et pour y arriver c'est toute une aventure.

Notre chef s'étant perdu dans les bois n'a pu nous rejoindre. Ce matin il nous arrive dans un état de saleté qui déclenche un fou rire unanime.

Dans la confusion de la débâcle, il se retrouve avec son régiment en Eure-et-Loir. Soldats ou civils, c'est l'évacuation générale.

Jeudi 13 juin 1940

L'ordre de repli arrive pour nous aussi et nous ajoutons notre désordre à l'affreux désordre des routes de France...

Vendredi 14 juin 1940

Le dépôt 81 commence son repli. A quelques-uns nous rejoignons Loulappe (Eure-et-Loir) à bicyclette. La 31e compagnie, jusqu'à minuit, restera à Fontaine pour assurer le repli.

Sur la grand route la poussée est épouvantable et tout habitués que nous sommes, nous restons suffoqués. On n'ose même pas regarder, c'est un vrai cauchemar, des avions surgissent. En

Une galerie souterraine de la Ligne Maginot

quelques secondes dégringolant des voitures, jaillissant des portières, abandonnant leurs hardes sur place, tout le monde s'est jeté dans les fossés, la plupart les uns sur les autres... Bruit de bombes sur Chartres... Fumée d'incendie... Les voici... Un silence de mort au-dessus duquel plane l'infernal vrombissement. Ils ne redoutent rien, ils sont les maîtres du ciel. Maîtres de la vie... Sataniques seigneurs !... De rage je décharge mon chargeur, ce qui déchaîne les imprécations les plus folles autour de moi. Mais ils ont à faire ailleurs et ils passent. Sur la route les gens ont ramassé leurs bagages, des moteurs embraient, des fouets claquent et la horde à nouveau s'ébranle.

La 31e Cie d'instruction comme il était dit dans la note de service, la dernière tapée à Fontaine, restait pour assurer la défense du village et «tenir la route libre...» En réalité c'était pour terminer les derniers préparatifs et filer comme tout le monde... Car avec la centaine d'éclopés dont disposait le capitaine Pothier, les quelques fusils mitrailleurs, trois ou quatre bidons de pétrole pour «brûler les chars», que pouvait-on prétendre sinon vouer Fontaine à la destruction?

La nuit tombe quand nous quittons Loulappe. Les habitants, leurs voitures à chevaux chargées à rompre, évacuent... Ils crient leur adieu à ceux du village qui n'ont pas pu se décider encore, gesticulent avec désespoir et fondent en larmes... Combien cela doit-il être dur pour des paysans de partir, de tout laisser et de tout abandonner aux pillards, car les bandes de soldats en déroute, qui sillonnent le pays, affamés et les habits en loques, ne laissent pas de doute sur leurs intentions; ceux-là rangés sur le bord de la route regardent, muets, les yeux grands d'épouvante. Ils vont dans une direction contraire à la nôtre. Où çà? Mais nous-mêmes où allons-nous? [...]

Depuis le début du mois d'août, l'Alsace et la Moselle ont été placées sous la férule de deux gauleiter, Wagner et Bürckel, qui commencent à expulser tous ceux qui ne sont pas des «Volksdeutsche» : les juifs, les Lorrains installés depuis 1918, les opposants...

16 août 1940

Date mémorable dans les annales lorraines : les expulsions commencent.

Ce matin, alors que tout dort encore, des voitures chargées de schupos casqués et baïonnette au canon font irruption dans nos villes et dans nos villages. Des listes d'adresses en main, les policiers s'orientent à travers les rues, et, le numéro trouvé, à coups de crosse dans les portes, ils réveillent les habitants :

Vous avez deux heures pour vous préparer. Vous pouvez emporter trente kilos de bagages et deux mille francs d'argent liquide.

C'est l'affolement. Partir! mais où partir? Ils n'ont personne ailleurs, les malheureux. Ils sont chez eux ici. Ils y sont nés pour la plupart et y ont leurs morts. Et quoi emporter de leurs biens?... Et leur maison et leurs champs, leur maison héritée des parents, leurs champs achetés avec leurs maigres économies?... Et qui s'occupera de leurs morts? Et les bêtes? Rudes et impitoyables, les schupos pressent les préparatifs. Ils ont mission de rester là et de veiller à ce que rien ne sorte de la maison et que tout s'accomplisse dans l'ordre. C'est donc vrai, partir... «Ce n'est là qu'une première charrette», disent, à qui veut les entendre, les schupos. [...]

19 août 1940

La confirmation n'aura pas lieu.

– Priez Dieu pour nos évêques a dit ce matin le curé en chaire. Mgr Heintz a été expulsé.

«Nous vaincrons parce que nous sommes les plus forts.»

Une de ces affiches fleurit encore notre bureau et il m'arrive de rêver devant elle. Qui eût cru qu'un tel empire un jour serait à bas, livré à l'ennemi sans coup férir. Avec toutes ses richesses, toute la peine et tout le sang qu'il coûta, avec la gloire de tous les héros qui l'ont fait!... [...]

28 août 1940

Seconde journée de terreur.

Une nouvelle vague de voitures de police a envahi nos paisibles entrées. Si la première fois, des schupos parurent s'intéresser aux «Français de l'intérieur», cette fois ils visent de purs Lorrains, connus pour leurs sentiments français. Maires, instituteurs, conseillers municipaux, membres du Souvenir Français, bref, tous les vieux du pays, ceux qui n'ont jamais vécu ailleurs et ne se connaissent aucune parenté hors de Lorraine, coupables seulement d'être restés fidèles aux traditions.

Et qui donc n'a pas eu des «idées françaises»? Quand tout ce qui parlait de liberté, de fraternité, d'égalité venait de France? Qui n'a pas été attaché à un pays qui donnait le bien le plus précieux : le pain et la liberté? Et chacun s'interroge, fait le compte de ses ennemis et de ses imprudences de langage. Un couple de policiers apparaît-il au tournant de la rue, l'angoisse aussitôt envahit les familles.

A qui le tour? Journée d'horreur. De la chambre où je me suis réfugié pour écrire mon désespoir et mon indignation, j'entends les pleurs et les lamentations d'une famille atteinte. Il faut partir. La femme est seule avec ses deux enfants, le mari est encore prisonnier. Et le soleil donne à plein, et dix heures sonnent au clocher de la vieille église qui a sonné pour son mariage, le baptême et la communion des enfants! Et c'est une douce journée de fin août. Tout est vert et les arbres sont chargés de fruits. On se préparait tout doucement pour l'hiver et l'on avait amassé quelques provisions. Partir... trente kilos...

La guerre se prolongeant à l'Est, le Reich réquisitionne les jeunes Alsaciens-Mosellans, hommes et femmes, dans le cadre du «Reichsarbeitsdienst» (service de travail obligatoire).

12 novembre 1941

Les jeunes Lorrains enrôlés de force dans l'Arbeitsdienst, – les parents ayant été rendus responsables en cas d'insoumission, – viennent de prêter serment de fidélité au Reich sur la personne du Führer. «Seule la mort vous déliera!» A Veckring la cérémonie du 11 novembre s'est déroulée en plein air devant l'ouvrage fortifié de la ligne Maginot. Est-ce un symbole et pour bien marquer le parjure? Les Allemands sont vraiment naïfs au point de croire à la sincérité de ces adolescents dont les frères aînés ont tous porté l'uniforme kaki de la «ligne» et le portent peut-être encore pour une bonne part, soit en Afrique ou dans les camps de prisonniers... Combien de ces jeunes ont dû se mordre les poings de rage le soir sur leur paillasse en s'accusant de lâches pour ne pas s'être enfuis, comme tant de leurs camarades. Mais ils ne sont pas assez idiots pour prendre «cela» au sérieux et ils sauront bien le montrer, qu'en fait de liens, ils ne reconnaissent que ceux du cœur.

En août 1942, le Reich astreint les jeunes des trois départements annexés à un service militaire obligatoire. Les «Malgré-nous» sont ainsi engagés de force dans la Wehrmacht ou la Waffen SS, et envoyés sur le front de l'Est.

23 octobre 1943

Effarante et terrible nouvelle : les conseils de guerre compétents ont condamné à la peine de mort trois jeunes gens qui s'étaient soustraits au service militaire.

26 octobre 1943

Nouvel avis aux déserteurs : «Quelques Lorrains qui voulaient se soustraire au service militaire ont été arrêtés en France. Ils ont été livrés à l'autorité militaire pour être traduits devant un Conseil de guerre.» Chantage ou vérité?

7 novembre 1943

On fête les héros de cette guerre dans nos communes et toutes les familles qui en ont un sont tenues d'y assister. Je prends les journaux de ces trois derniers mois et fais le compte des Lorrains tombés à l'Ostfront. Leur nombre s'élève à cent quatre-vingt-cinq pour la Moselle... O honte des pères et des mères de s'entendre dire que leurs enfants sont tombés du «Heldentod» [la mort des héros] pour leur «Gauleiter Führer», leur rage de voir la mémoire de leurs fils saluée par ceux-là qui avaient juré leur perte, qui les avaient insultés et battus dans la rue parce qu'ils parlaient français et portaient le béret!

En Alsace et en Lorraine, le 11 novembre 1918 est une date historique plus importante qu'ailleurs : c'est celle de leur rattachement à la France.

11 novembre 1943

Toute la journée, une pluie fine et glacée est tombée, et ce soir, un épais brouillard hâte la nuit. Amolli soudain par des réminiscences, je suis descendu de ma bicyclette et j'ai fait le reste du chemin à pied... Il y a vingt-cinq ans... J'allais atteindre mes dix ans et je ne savais rien encore de moi-même, des angoisses et des inquiétudes qui commençaient à sourdre mystérieusement en moi et me rendaient douloureusement et délicieusement seul. Du jour au lendemain, j'étais devenu Français, et j'ignorais tout de ma nouvelle patrie, dont je ne connaissais même pas la langue. Pourtant, aux nombreux drapeaux qui pavoisaient les maisons, au vacarme joyeux des rues, aux embrassades publiques, aux cortèges, à toute la musique, je comprenais que je n'avais rien à perdre au change, bien au contraire!...

Ce parler subtil, caressant, si doux à l'oreille, j'avais le pressentiment qu'il serait le langage de mes rêves. J'étais trop jeune pour avoir été marqué par l'Allemand. J'avais neuf ans...
O nouveauté merveilleuse! Il me fallut peu de temps pour apprendre la langue, à croire que je la possédais déjà à mon insu, toute faite et seulement recouverte par la gangue de l'autre patois. A peine un an plus tard je lisais mes premiers livres français et ils décidèrent de ma vocation. J'avais trouvé! Les mots que je lisais en éveillaient d'autres, ils se faisaient chant et leur musique m'animait. Je naissais d'eux. Je n'eus plus d'autre plaisir que lire. J'avais hâte de connaître le plus possible de ces mots magiciens, autant de clés qui m'ouvraient l'âme.

C'est difficile, car j'étais seul et pauvre, tenu à gagner ma vie dès mes quatorze ans. Mais quel adolescent s'est-il jamais soumis et résigné «parce que c'est comme ça» et que «c'est la vie»? Je m'entêtais donc et mes premiers essais furent imprimés... Vingt-cinq ans ont passé. Mais je suis toujours le même et cette guerre passera sans que j'aie rien perdu de mes ambitions. Il viendra un autre 11 novembre qui fera claquer au vent les drapeaux de la Libération! Un nouveau vacarme de joie et de cloches remplira les cités et le ciel. [...]

Adrien Printz,
Soldats sans emploi (1939-1940), suivi de
Chronique lorraine (1940-1944)

Une femme dans la débâcle

Voici le regard d'une femme, Anne Jacques, sur l'atmosphère de fin du monde qui règne dans les trains de l'exode, en juin 1940. Un regard empreint de chagrin et de pitié envers un peuple, son peuple, dans le désastre.

Lundi 10 juin 1940

J'ai passé la journée à la gare d'Austerlitz. Cette journée du 10 juin 1940 qui fera comme une tache dans nos vies, comme une ombre sur Paris.

Il faut se rendre à l'évidence : les enfants doivent partir.

On risque à tout instant un bombardement. On risque des évacuations en masse et la panique – ou un siège de Paris – que ne risque-t-on pas?

Je dois évacuer les cent petites orphelines de l'école où je suis professeur. Dans ma tête affolée, trois points seuls sont bien nets : il faut partir sans tarder, il faut que mes enfants restent groupés, je n'ai personne pour m'aider.

J'arrive, le cœur battant, aux abords de la gare d'Austerlitz. C'est plus grave, plus pressant encore que je ne croyais. Les autos se suivent depuis la gare de Lyon, se touchant presque, noire et muette procession. Je dois me glisser entre elles pour traverser les ponts.

Le hall est plein de monde. Les malles, les paquets, les valises sont traînés sur le sol et mêlés aux affaires des réfugiés du Nord qui traversaient Paris. On prend encore des billets, on enregistre les bagages, mais c'est une telle cohue que je juge en un instant qu'il me faudra deux heures pour atteindre un guichet.

Et je dois aller vite.

J'aborde un agent. Comment voir le Directeur des Services? Je ne sais qui demander. Je pressens qu'il faut un monsieur très haut placé, aujourd'hui, pour m'aider.

J'obtiens une adresse. J'y cours. Et parce que la vie est bouleversée, tout ce qui était facile est devenu impossible, tout est devenu possible de ce qui ne l'était pas. Il n'y a plus de taxis, on ne retient plus de places, on ne peut plus téléphoner. Paris commence à craquer. [...]

Près de quinze heures après, elle finit par monter dans un train en partance pour Bordeaux.

Nous aussi, nous partons à l'aube. Point de bagages. Un voile sur la tête, une cape, une croix rouge, le poids seulement de sa vie à soi, aujourd'hui que c'est léger!

En route, nous croisons dans la brume de fuyantes silhouettes qui ressemblent à des chiffonniers et qui sont des Parisiens qui partent. Ils ont un sac sur le dos, des ballots à la main, des enfants derrière eux, ils croient arriver à l'avance.

Ah! pauvres gens! Mais il y a cinq mille personnes à la gare et la suie qui tombe les confond dans une peur commune.

Les grilles d'entrée ne sont pas ouvertes que déjà le troupeau est debout, pressé et silencieux. Où est le chef de ce troupeau? [...]

Le train est stoppé au sud de Paris durant cinq jours, dans une gare encombrée de soldats et de réfugiés affamés.

Mercredi 12 juin 1940

[...] *4 heures* – Ils parlent, ils supplient. C'est un spectacle de folie.

Ils veulent du pain! Ils meurent de faim! Et je comprends à leurs explications que le train parti tard de Paris a été bombardé, puis garé, puis en panne, tellement longtemps – plus de trente-six heures – qu'ils meurent de faim.

Ils se traînent jusqu'ici. Il y en a qui pleurent, d'autres ne peuvent plus parler. Certains répètent en litanie: «Par pitié,

madame, par pitié.» Et des hommes âgés, corrects, tendent la main comme des mendiants.

– Mais je n'ai rien, pauvres gens, je vous assure que je n'ai plus de pain.

La foule heurte contre cette cabane en bois, comme une marée, comme une tempête. Je n'ose pas ouvrir la porte, je réponds par la fenêtre, en faisant: «Non, non, je n'ai rien à vous donner.» Et j'ai envie de pleurer.

Il y a une fenêtre ouverte par laquelle des bras se tendent avec des mains pointues, comme un faisceau de lances. Un colonel, qui était sur le quai, se décide à improviser un service d'ordre, sans quoi la porte sera enfoncée, la cabane écroulée. Il le fait avec bonté, mais je vois encore ces faces convulsées, et ces yeux immenses, des yeux de bêtes qui veulent manger...

Ils semblent voir quelque chose d'horrible dans le fond de la cuisine. Je me retourne:

Il y a à la corbeille de croissants que j'avais oubliée. Et un officier debout à côté. Un officier qui prend un croissant, qui l'ouvre, qui met du beurre dedans, qui referme le croissant, et qui mange...

Il en mange un, deux, trois, bien lentement, des croissants dorés, tout fourrés de beurre frais.

Alors je prends la corbeille, je la vide par la fenêtre, je ferme la fenêtre, et je me sauve pour ne pas les voir se battre.

6 heures – Encore un train en gare. J'avance sur le quai. Ce train n'est pas annoncé. C'est un beau train de luxe, long, aux wagons confortables, comme on n'en voit plus guère.

Personne n'en descend, il est fermé. Il passe. La foule qui s'éveille est d'une pâleur mortelle, elle a froid, elle est hébétée, elle regarde un train confortable et qui roule.

C'était un train de fous.

A l'aube, certaines femmes, lasses d'attendre, se décident à partir à pied. Il y en a qui attachent leurs enfants sur leur dos, comme font les Arabes. D'autres, ayant trouvé une longue perche qu'elles tiennent aux deux bouts, y ont enfilé leurs ballots et, dans leurs voitures, les bébés semblent écrasés sous les paquets.

Je vois un homme qui porte sur son dos un énorme matelas. Il marche tout courbé, durant le jour, suivi de ses enfants. La nuit venue, il étend le matelas à terre, les enfants dessus, et lui, il couche à côté. Ainsi, il est venu de Belgique. C'est ce qu'on appelle être père.

Mais à voir l'allure de ces pauvres gens, on pressent qu'ils n'iront pas loin. Les routes sont tellement encombrées qu'un piéton même ne peut plus passer.

Un pauvre garçon vient boire du bouillon. Il est transi, et si triste! Treize ans peut-être. Il raconte volontiers son histoire; sa voix est calme, sincère, glacée.

Il vient de Ch. Sa maison, au cours d'un bombardement, lui est tombée sur le dos; il était près de ses parents qui ont été tués.

– Oui, madame, tous les deux… Et puis, je les ai enterrés dans notre jardin… quand ils n'ont plus bougé. Après, je suis parti à bicyclette. Dites, où faut-il aller?

J'ai dit (car il fallait répondre, et sans tarder) :

– J'ai besoin de toi. Prends ce couteau, tu vas m'aider. Sais-tu couper du pain?

Une vieille femme m'a vue. De la tête, elle approuve, et son sourire me fait du bien. Elle vient d'Alsace. Je lui en demande des nouvelles et elle dit :

– Ma fille, c'est comme partout. Il y a les braves gens, et puis les autres.

Voilà une définition du monde que je cherchais depuis longtemps. Et j'ajoute mentalement que, pour passer d'un bord à l'autre, il faut souvent bien peu de choses!

Le matin arrive, il fait clair. Je recommence ma ronde sur les quais pour trouver les malades de la nuit.

Ceux qui délirent parce que la fièvre a augmenté, les vieilles gens qui ont tout à fait perdu la tête.

Je croise le lieutenant de chasseurs. Il attend toujours… Il a acheté un livre, n'importe lequel – pour ne pas devenir fou. Je vois en passant qu'il lit *La Féerie cinghalaise*.

Jeudi 13 juin 1940

Il est devenu absolument impossible d'aller jusqu'à V. La route est encombrée d'autos, quelquefois renversées.

La situation semble avoir bien empiré depuis ce matin et devient tout à fait tragique.

Un employé nous dit qu'à l'entrée en gare de P. onze trains de réfugiés sont en panne, se touchant presque, sans espoir de ravitaillement…

Des ponts ayant sauté en dessous de V., les trains ne passent plus…

Reculer est, naturellement, encore plus impossible. La bataille approche, on l'entend gronder.

Et toujours par la gare, par la route, à pied, en auto, en camions militaires, les réfugiés arrivent. De plus en plus fatigués, de plus en plus pressés. C'est le Nord, la Seine-et-Oise, tout Paris, qui viennent s'embouteiller ici, sans espoir d'en partir, enfermés dans cette impasse bien avant d'y être arrivés. […]

Ne pouvant plus aller à P., nous décidons de gagner le Centre d'Accueil et d'y passer la nuit. Nous allons à pied, car le train ne marche plus.

Nous passons toujours partout en

costume d'infirmière. Inutile même de montrer nos cartes. Les gens s'écartent comme devant un secours. Les plantons ouvrent les portes. Nous fendons sans peine une foule de deux mille personnes accrochées aux grilles de la gare.

Il n'y a plus de service de voirie. Sur un trottoir, un gros chien, depuis deux jours, meurt de faim. On a dû oublier de le démuseler. Sa queue bat encore un peu sur le pavé, son museau secoue mollement la muselière.

Il est horrible à voir, et je passe en tournant la tête.

Le poste de secours semble très agité. […]

Les femmes sont très bien, je peux le dire, j'en ai vu beaucoup et dans des heures où l'on se fait juger. Elles ne sont plus ni bavardes, ni nerveuses, ni faibles, elles sont raisonnables, calmes, charitables entre elles et souvent héroïques.

Brave peuple de qui on a dit et de qui on va dire tant de mal, je t'ai vu souffrir des pires peines qu'on puisse supporter, jamais je ne dirai assez combien tu étais brave. Tu étais ma consolation.

Ces jours-là, les femmes qui sont mères ne sont plus que des mères. Elles demandent pour lui, et quand on manque de quelque chose, elles souffrent pour lui.

Affamées, elles voient les enfants manger sans en prendre une miette; assoiffées, elles goûtent dans un verre dont elles n'auront qu'une gorgée, et tout ce qui est fait pour les enfants, toujours elles le trouvent bien.

Je me souviens d'une jeune femme belge qui arrivait à V. le 14 juin. Elle était partie de Namur le 10 mai (ce 10 mai!) à pied. De Bruxelles, elle était allée à Ostende à pied; à pied en France, arrêtée par la bataille des Flandres, et remise en route à pied. Arrêtée par la bataille de la Somme. Et se croyant sauvée en atteignant Paris. Puis repartie à pied, toujours. Toujours son enfant dans les bras, poursuivie par la plus impitoyable des batailles. Elle arrivait à V., portant son enfant depuis un mois, à pied.

Elle m'a dit en montrant le bébé :

– Voyez, il n'a pas trop pâti. Elle-même n'était qu'un squelette.

Une autre femme, assise dans la salle des bébés, regardait boire les enfants et, ouvrant son corsage, elle offrit à son bébé un pauvre sein presque vide. Alors elle me regarda et demanda timidement :

– Est-ce que je pourrais boire un peu, à cause de lui?

Un petit parisien accueilli par une paysanne de l'Allier, dans l'objectif d'un photographe officiel.

Anne Jacques,
Journal d'une Française

Une Parisienne à Vichy

En mai 1940, Marie-Thérèse Gadala est par hasard à Vichy, retenue par la maladie. Ne pouvant rentrer à Paris, elle observe, en témoin privilégié proche des milieux politiques, la transformation de la cité thermale en nouvelle capitale. A l'approche du 10 juillet, c'est l'effervescence : premiers et seconds rôles préparent le grand soir.

Lundi 1er juillet 1940

Depuis ce matin Vichy est en révolution. Pour la deuxième fois on «réquisitionne». Les gens chassés de leurs hôtels sont hors d'eux-mêmes, menaçant de se barricader, de rester couchés. Adieu le beau rêve de ma jolie chambre bleue où je devais rentrer demain. Et tout cela pour cet Etat-Major en déliquescence et ces parlementaires qui nous ont menés là où nous sommes... dignes de ces officiers qui, le jour où les Allemands sont venus, pour mieux se cacher, arboraient un brassard de la Croix-Rouge...

C'est le ministère des Affaires étrangères qui va s'installer au Parc... Tout le gouvernement, du reste, Lebrun [président de la République] en tête, a déjà quitté Clermont pour Vichy. Il paraît que Clermont les avait fraîchement reçus. D'autres disent que certains ministres ayant été moins bien logés auraient fait pression sur leurs collègues pour déménager.

Des troubles ont, paraît-il, éclaté à Moulins. Un commandant allemand aurait été tué... L'état de siège proclamé...

On croit que les incidents et émeutes sont provoqués par les Allemands qui auraient ainsi un prétexte pour occuper davantage... [...]

Mardi 2 juillet 1940

Les «canards» continuent : A midi trente-cinq, la radio anglaise annonce : «On dit que le général Weygand est arrivé à Athènes, se rendant en Syrie.» Or, à l'hôtel du Parc, au restaurant Chanteclerc, le général Weygand, venu

Séance de l'Assemblée nationale, le 10 juillet 1940, au casino de Vichy; discours de Pierre Laval.

déjeuner avec le maréchal Pétain, prendra son café à deux mètres de moi. [...]

Si nous menons une vie d'émigrés, dans une patrie hors de la nôtre, le hall de l'hôtel du Parc, lui, évoque Versailles, un jour d'élection présidentielle. Ah! Qu'ils en sont déjà loin... Qu'ils en ont toujours été loin de la guerre, de toutes ses horreurs, de toutes nos hontes, ces hommes d'Etat légers, incapables ou malhonnêtes, dont l'effroyable incurie nous a menés à l'abîme...

Voici Pierre Laval qui, dans l'ordre physique, semble du type Briand, très lourd, débraillé... Marquet, ministre de l'Intérieur, grand, mince, presque élégant dans son complet gris qui s'approche du groupe Chautemps. Monsieur, madame et mademoiselle. Voici François-Poncet [ancien ambassadeur de France à Berlin] – d'une autre classe. Peut-être cela ne serait-il pas arrivé s'il était resté en Allemagne. Dans un coin sombre, la chevelure d'or et le teint de rose d'Elvire Popesco mettent du soleil. Elle appelle un garçon qui va chercher quelqu'un. C'est Ybarnégaray [député Croix de feu]. Dans le fond, à peine dissimulé par un paravent, le maréchal Pétain cause avec Weygand. On dit : «Comme le maréchal est jaune! Comme Weygand a l'air fatigué!» et que cela contraste avec les toilettes claires, ce va et vient, cet air de fête (quelle ironie...) de ce hall d'hôtel où ce qui reste de notre grande France s'est échoué... Radeau de la *Méduse* où tous bientôt se mangeront... Lebrun, comme le bruit en court, va-t-il démissionner en faveur de Pétain? Pétain soulève des objections : son âge? Non... Mais il ne veut pas être, dit-il, le pavillon qui couvrira leurs manigances, leurs turpitudes à tous ces «Voit-petit», leur incapacité à s'élever au-dessus de leurs intérêts personnels, à regarder haut et loin... [...]

2 juillet 1940

On évacue l'hôpital de l'hôtel Thermal pour y mettre le Ministère de la Guerre. Dans les camions, les matelas s'entassent. Les conducteurs (soldats) se disputent à qui passera le premier. Hier, à l'*Albert Ier*, dans le hall, un officier en termes des plus grossiers a «engueulé» un plus jeune qui avait «pris sa chambre». Les plantons devant l'hôtel du Parc ont l'air en caoutchouc. Où sont les rigides sentinelles allemandes, ces statues noires?...

Le public, massé devant l'hôtel du Parc, guette la sortie de Pétain ou de Weygand, regarde à travers la fenêtre ouverte dîner Laval : le Zoo, à l'heure du repas des fauves.

Dans la rue, Marie Marquet passe, entre un officier à qui elle donne le bras et son fils.

Mon fils à moi. Je crois, j'espère : je suis sûre qu'il vit. Je veux de toutes mes forces, de toute ma chair vivante qu'il vive.

Mercredi 10 juillet 1940

L'Assemblée nationale. Journée historique... Mes amis me téléphonent qu'ils n'ont pas de place pour moi à la séance. (La modiste, l'épicière et Mme X*** en ont eu...) mais que tout l'intérêt devant tenir dans le comité secret, de ce matin, il ne faut en avoir aucun regret. La «Constitution nouvelle va être votée, me dit B***. L'essentiel est qu'elle soit bien observée.» Après tout, peut-être que celle-ci bien «observée» n'eût pas été plus mauvaise... [...]

Marie-Thérèse Gadala,
A travers la Grande-Grille,
mai 1940 à octobre 1941

Une lycéenne à Paris

Mercredi 26 juin 1940

Micheline Bood a quatorze ans en 1940. Son adolescence, elle la passe dans un Paris envahi par les «Bochs» [sic] qu'elle regarde avec les yeux d'une gaulliste précoce, son demi-frère étant pilote dans la R.A.F. La vie, pourtant, continue : la nourriture, les examens… Dans ce journal d'une jeune fille occupée, affleurent les drames mais aussi l'insouciance d'une époque.

MOI
portrait extraordinairement ressemblant.

Que d'événements, aujourd'hui!

D'abord, l'armistice a été signé la nuit d'hier. Les conditions sont très dures, entre autres la démobilisation de l'armée; mais on ne nous dit pas tout – presque rien, en fait. Le maréchal Pétain a fait hier soir un discours à la radio qui était idiot. Nous pensons généralement qu'il est devenu gâteux. Mais les troupes françaises (terre, mer et air) passent en masse en Angleterre pour continuer la lutte, et la R.A.F. bombarde sans arrêt, et on se bat dans les colonies…

J'ai eu une conversation, toujours hier, avec deux soldats allemands. Ils parlaient épatamment le français et l'anglais aussi, qu'ils avaient appris dans une université quelconque, je ne sais où. (J'étais dans un arbre et eux en bas.) Aujourd'hui, en allant à Saint-Gilles, à l'église, je rencontre l'un des deux qui me dit bonjour. J'étais indécise, ne sachant si j'allais lui répondre devant les gens. Il était avec un groupe d'autres soldats, je lui fais un léger signe de tête et je passe. Tout à coup, à côté de moi, j'entends un déclic. Un déclic caractéristique. Je tourne la tête de ce côté, et pan!... un autre déclic. C'était un vrai guet-apens! Ils ont été deux à me photographier et, au deuxième, je regardais justement – je suis furieuse. En rentrant, un autre m'a dit, en français, naturellement :

– Vous êtes très jolie, mademoiselle.

Grr... Grr... des Bochs... Ils n'ont pas le droit de me dire ça!

J'étais assise sur la fenêtre de la cuisine et nous riions beaucoup avec Marie-France, la bonne (Hedwige) et Nicole, parce que j'avais voulu chanter quelque chose et c'était complètement faux. Tout à coup (re-tout à coup), sans que j'aie rien entendu, quelqu'un arrive et me prend par la taille. Sincèrement, j'allais l'embrasser, j'étais tellement persuadée que c'était papa! Je vois Marie-France, Nicole et Hedwige qui riaient comme des folles. Je me retourne et je vois que c'était un Boch! Je me suis sauvée en quatrième vitesse, pendant que ces trois idiotes gloussaient de joie.

Une fois un peu rassurée, je l'ai regardé. Il était resté sur la fenêtre, à nous contempler. J'ai pensé alors que ma réaction avait été celle d'une petite fille. Il n'avait rien d'abominable. Franchement, je regrette qu'il ne soit pas anglais. Parce qu'il est vraiment très beau garçon. Et puis, il est brun et, à l'âge de neuf ans, j'ai fait vœu de ne jamais épouser un homme blond à cause d'un chagrin d'amour (Bill était châtain). A propos de Bill, j'ai écrit son nom sur tous les murs à Marigny. Et pourtant je ne l'aime plus...

Le 11 novembre 1940, à Paris comme dans d'autres grandes villes de zone occupée, lycéens et étudiants célèbrent la victoire de 1918 en manifestant dans les rues.

Lundi 11 novembre 1940

Matin, sept heures : Encore une alerte! Je me lève parce que c'est l'heure, mais, cette fois, nous ne descendons pas : On se barbe trop en bas! Tout le monde pense que ces alertes sont faites pour embêter les gens et leur faire détester les Anglais. Vive les Anglais quand même!

Je vais prendre mon petit déjeuner en attendant la fin.

Huit heures quinze : Fin de l'alerte.

Une heure : On nous a dit que les Anglais allaient bombarder aujourd'hui, parce que Hitler devait se rendre à l'Arc de triomphe. Je suis inquiète, énervée, j'ai un peu peur, mais j'irai quand même.

S'il y a un bombardement, c'est une raison de plus pour que j'y aille.

Sept heures : J'y ai été. J'ai vu. Je n'ai pas vaincu, mais j'ai manifesté.

Quand nous sommes arrivées, Yvette, Monique et moi (maman ayant défendu à Nicole d'y aller), il n'y avait que deux ou trois Bochs avenue des Champs-Elysées. A l'Etoile, nous retrouvons les élèves du lycée. Puis nous passons sous l'Arc : foule immense, silencieuse et recueillie. Les gens enlèvent leurs chapeaux et font le signe de la croix. La flamme, la flamme immortelle, était entourée de fleurs. Au milieu, une immense couronne avec un ruban français – et un ruban anglais! Naturellement, pas un Boch sous l'Arc. Ça faisait penser à un reposoir. Presque tous les étudiants avaient le drapeau français et le drapeau anglais à leur chapeau. A un moment donné, les agents nous disent de circuler. Nous leur répondons : «La barbe!» et d'autres personnes viennent se joindre à nous.

Nous rencontrons S. Delhaye et sa mère, qui nous disent : «En bas, les étudiants ont manifesté et nous avons vu les Bochs foncer dedans à toute vitesse en auto. Heureusement, aucun d'eux n'a été blessé.» Nous descendons. Il y a un rassemblement devant la brasserie *Le Tyrol*. Nous quittons les élèves du lycée, Yvette, Monique et moi; nous allons voir ce qui se passe. Nous n'avons pas très bien compris. Il y avait une centaine d'étudiants parqués dans le hall du Tyrol. Il paraît que c'est parce qu'ils avaient manifesté. Une affiche boch, qui était à la porte quand nous sommes montées et que nous n'avions pas pensé à lire, avait été arrachée. Puis, de l'autre côté, nous voyons un homme bien, assez âgé, emmené par des civils qui le rudoient férocement. Nous entendons les gens siffler; nous traversons et suivons.

Avenue des Champs-Elysées, de place en place se trouvaient des camions allemands fermés le long des trottoirs. Les officiers qui attendaient à côté, une trentaine, sont tous tombés sur le pauvre type qui, paraît-il, avait manifesté. Ils lui ont donné des coups de pied dans le ventre et, finalement, l'ont hissé à moitié mort dans la voiture. Tous les gens qui passaient se sont mis à hurler, et nous avec. Il y avait d'autres types dans le camion. Et ces c... de Bochs riaient! Nous les avons traités de cochons, vaches, salauds et toutes les bêtes de l'Arche de Noé. Finalement, un des civils nous a crié :

– Est-ce que vous voulez y aller aussi?

Nous avons crié de plus belle, craché sur les Bochs, etc.

Et puis il a commencé à pleuvoir et nous sommes parties.

Arrivées aux Champs-Elysées, nouveau rassemblement. Des Bochs ont été blessés dans la bagarre et on a appelé des ambulances. Les Français exultent, les Bochs sont moroses. Et puis nous tombons juste en face d'un cercle de gens qui sont en train de jouer au ballon avec un officier boch, comme avec un mannequin pour la boxe. Il passait de poing en poing et chacun lui disait une injure. Il avait l'air d'être prêt à pleurer. Monique était rentrée chez elle (elle habite rue Marbeuf), mais Yvette et moi avions une joie vraiment féroce. J'aurais été plus contente si ç'avait été un des trente du camion, parce que celui-là avait l'air mieux, mais tant pis pour lui, c'était un Boch. Enfin nous sommes rentrées (j'oubliais de dire que les autres Bochs regardaient sans rien dire leur camarade battu) parce qu'il pleuvait trop, mais avec regret. J'avais des bas de soie splendides et j'étais enchantée parce que toutes les femmes bochs regardaient mes jambes avec envie.

Dans le Quartier latin, les étudiants se sont promenés en tenant une petite gaule et en criant : «Vive! Vive! Vive!» Tous les gens, même les Bochs, se tordaient de rire.

En ce moment, il est sept heures. On se bat avenue de l'Alma, à la grenade et au fusil.

Ah mes enfants! Qu'est-ce qu'on va avoir comme représailles! Mais je peux dire : «J'Y ETAIS.»

Jeudi 28 novembre 1940

Come O sweetheart, O darling!
Come or I'll die like a pale flower.

J'en aï marre de cette vie! Si Bill savait que je porte le deuil de lui depuis si longtemps! Je ne l'ai vu qu'un jour, nous nous aimâmes beaucoup (ce qui n'est pas la même chose qu'aimer tout court) et nous nous sommes écrit... C'est tout! Depuis si longtemps que je n'aime plus, j'en ai assez et je voudrais avoir... ou Bert, mon frère, ou un amoureux. Surtout un amoureux, un adorable Anglais, par exemple, déguisé en Allemand, grand, blond et mince, avec des yeux bleus, une figure ouverte et sympathique... qui serait comme Henry (du moins ce qu'une rencontre m'a laissé supposer). Mais au lieu de ça, rien de rien! Je me barbe éperdument. Oh mais! mon prochain flirt paiera pour s'être tant fait attendre...

Henry, je peux le raconter maintenant, c'est un soldat anglais qui n'avait pas réussi à repartir en Angleterre avec les autres et que cachait un des soldats de papa. Un soir ils sont venus tous les trois à la maison, Henry, le Français et sa femme, et nous avons tellement ri qu'ils ont oublié l'heure et sont partis après le couvre-feu, au risque de se faire arrêter. Surtout qu'ils avaient la moitié de Paris à traverser à pied.

Après, une Américaine que maman connaît s'est occupée de le faire partir; je ne dis pas de noms ici, c'est trop dangereux.

Mardi 24 décembre 1940

Nous avons reçu une lettre de Nounou. Elle nous dit qu'à Brest il n'y a ni beurre, ni pommes de terre, ni café, ni laine, presque rien enfin. Par-dessus le marché, elle a très peur des bombardements; des gens qui habitent près d'elle ont été tués. Il paraît qu'à Brest, les Anglais, en bombardant, tuent des quantités de civils. C'est probablement parce que la Royal Air Force a actuellement des pilotes trop jeunes, inexpérimentés, au lieu des durs à cuire d'avant.

Je trouve que j'ai été très injuste, hier, parce que, en aucun cas, un Noël de guerre ne doit être heureux. Quand on pense que tant de gens n'auront cette année qu'un bombardement toute la nuit du 25 décembre... Seulement, quand je me plaignais à toi, l'autre jour, mon journal, j'écrivais sous l'effet du découragement et aussi de la haine et du dégoût que m'avait inspirés pendant notre promenade la vue de Bochs se pavanant dans des autos chauffées, achetant des bonbons, des choses délicieuses et de toutes ces femmes en splendides manteaux de fourrure et le superbe arbre de Noël du garage d'Astorg, alors que nous, nous n'en aurons pas. Maintenant que j'ai réfléchi, j'offre de grand cœur les cadeaux de Noël pour Nounou et tous les pauvres réfugiés.

Mercredi 15 janvier 1941

J'essaie de jour en jour de me persuader davantage que le rutabaga et la margarine sont des choses délicieuses. [...]

Avant-hier, Yvette et sa mère écoutaient la radio où l'on donnait des disques. Après la voix, combien suave et mélodieuse, de ce cher Tino Rossi, on entend un air d'un genre nouveau :

> *Et m... pour ce sal... d'Hitler*
> *J'lai dans l'blair et j'peux pas l'sentir*
> *C'est un cochon, il est pourri*
> *Il est fini...*

Malheureusement, le type a arrêté le disque et elles n'ont pas pu entendre la fin.

Une autre histoire : Mussolini a fait un prisonnier grec. Comme c'est un événement extraordinaire, il le questionne et lui demande pourquoi il a une chemise rouge.

– Parce que, répond le Grec, nous sommes très braves et nous ne voulons pas qu'on voie notre sang si nous sommes blessés.

Immédiatement, Mussolini commande des caleçons kaki pour toute son armée...

Et une devinette : Quelle est la plus petite prairie du monde? L'uniforme des Bochs parce qu'il y a toujours une vache dedans.

Vendredi 17 janvier 1941

Je suis furieuse parce que maman m'a forcée à mettre les chaussettes de laine de Nounou à cause de cette affreuse chose que j'ai à la jambe et qui, dit-elle, provient du froid. Puisque c'est comme ça, je ne mettrai plus mes gros godillots. C'est trop laid avec des chaussettes! et j'userai mes chaussures. Tant pis, elle m'embête.

J'ai été pesée mardi et j'ai maigri de 2,500 kilos depuis le mois d'octobre. Restrictions! J'ai chipé un pot de confitures. Je l'ai mis derrière les livres dans ma bibliothèque. J'ai honte de faire des choses comme ça parce que je suis obligée de te les confier après, mon journal. Je ne l'aurais jamais fait avant parce que je n'aimais pas les confitures, mais maintenant, nous mangeons si mal que j'ai toujours faim. Par exemple, aujourd'hui, j'ai eu quatre rognons de mouton à cinq francs pièce. C'est sans ticket, mais il y avait beaucoup de graisse avec, et ils étaient gros comme le pouce.

Et par-dessus le marché, le gaz ne voulait pas chauffer (depuis que les Bochs sont là il ne vaut plus rien). A une heure moins vingt-cinq, nous n'avions pas encore déjeuné et nous devions partir à moins vingt. Alors, j'ai commencé par le dessert, puis des pommes de terre avec du rutabaga (qui n'était pas cuit et que j'ai laissé) et je suis partie en mangeant mon minuscule rognon.

Samedi 18 janvier 1941

Nous avons encore un nouveau prof de boch. Ça fait la troisième : nous devons les empoisonner toutes! Elle est assez jolie, mais trop grasse. C'est une vraie rosse, méticuleuse et assommante. Mais au moins, je crois qu'avec elle nous allons travailler sérieusement.

Maman était bien contente parce qu'elle a eu deux rognons, un beefsteak (sans ticket). Papa lui a trouvé une bûche dans la rue, mais il a cassé un carreau de la cuisine et les vitriers disent qu'ils n'ont plus de verre. Nous avons reçu une livre de beurre de Mme Brunetier, malgré que ce soit interdit : c'est ce qu'il y a de plus précieux avec la viande.

Exemple de la pâtisserie parisienne en 1941 : Yvette et moi allons chez le pâtissier où il y a une quantité de choses, enveloppées dans des papiers très appétissants. Nous demandons :

– Qu'est-ce que c'est que ça?

– Ça, mesdemoiselles, ce sont des dattes fourrées.

– Et ça?

– Ce sont des figues fourrées.

– Et ça?

– Ce sont des dattes entourées de sucre.

– Et ça?

– Ce sont des figues entourées de sucre.

– Et ça?

– Ce sont des dattes et des figues pressées et mélangées ensemble...

Nous n'avons rien demandé de plus.

Nous sommes bien forcés d'arrêter de jeter de l'eau, parce que ça coule à flots chez les locataires du 3e (la sœur du propriétaire), à cause du dégel; c'est formidable ce qu'il dégèle, toutes les stalactites ont la goutte au nez et Paris est transformé en mare. Enfin!

Mercredi 22 janvier 1941

Une histoire nouvelle : Hitler va trouver le grand rabbin et lui demande le bâton

SCANDALE
LA GAINE DE QUALITÉ

de Moïse pour que les eaux de la Manche se séparent en deux.

– Jamais de la vie, lui répond le rabbin, vous ne l'aurez pas.

– Je vous donnerai tout ce que vous voulez, dites-moi seulement où il est.

– Eh bien, alors, je vous le dis : il est au British Museum de Londres.

Un camarade d'Yvette a été fait prisonnier. Il a seize ans. C'était pour avoir lacéré une affiche. On l'a mis en cellule pour trois mois et quand son père est venu le chercher, il a été obligé de l'emmener en ambulance parce qu'il ne pouvait plus se lever. Maintenant il est très malade. On ne lui avait donné absolument que du rutabaga.

Nous nous demandons avec anxiété comment nous finirons le mois. En mangeant du rutabaga, probable.

Le 16 et 17 juillet 1942, 13 000 juifs sont

arrêtés, surtout dans les quartiers populaires de l'est parisien...

Samedi 25 juillet 1942

Toute cette semaine, j'ai rangé ma chambre; maintenant, elle est épatante. Elle me plaît. Je ferai sa description un jour où je n'aurai pas trop à écrire. J'ai mis tous mes papiers dans le secrétaire de papa, les papiers qui étaient dans le secrétaire, dans ma commode, les affaires de ma commode, dans un placard, et la commode au grenier. Ça sera un peu moins pratique, mais elle est blanche et déparait ma chambre qui est maintenant tout à fait bien.. [...]

Vendredi 2 juin 1944

A cause des alertes, le bac s'est passé au lycée et comme les sirènes se déclenchent en général vers onze heures, ils nous ont fait venir très tôt pour avoir fini la dissertation avant. [...]

En philo, je ne sais pas trop si j'ai réussi. Le sujet de psycho ne me disait rien et je ne comprends toujours rien à la logique. J'ai donc pris le sujet de morale qui était magnifique, mais dangereux : «Justice et Liberté». J'ai parlé de la tradition immortelle de la France; enfin, je l'ai traité de façon héroïque et si je tombe sur un examinateur pétinophile, je suis fichue. Pour les sciences nat., ça a formidablement marché. Je révisais encore en y allant après le déjeuner et j'ai eu le sujet que je venais de relire en route : «La structure microscopique du rein.» Je n'ai même pas eu besoin de me servir de mes anti-sèches, je savais tout par cœur. Evidemment, ce qui est moche pour moi, c'est que l'anglais et l'allemand ne comptent pas cette année.

Micheline Bood,
Les Années doubles

Un fonctionnaire nantais

Edmond Duméril, un professeur d'allemand d'une cinquantaine d'années, se met en juin 1940 à la disposition du préfet de Loire-Inférieure. Nommé conseiller pour les relations franco-allemandes, il est chargé des traductions et des contacts au quotidien avec la Feldkommandantur. Son journal est un témoignage exceptionnel sur la cohabitation locale entre occupants et occupés.

LES BARBARES VOULAIENT LES TUER ILS LES ONT RENDUS IMMORTELS
(Georges POLITZER)

22 OCTOBRE 1941
CHATEAUBRIANT

Mardi 9 juillet 1940

Démarche avec le secrétaire général de la préfecture à la Kommandantur, pour préciser les réquisitions permises.

Des maires ont reçu des demandes de 120 tapis de table, 5 T.S.F., 40 vases, 60 cendriers, 1 500 lustres, 15 000 frigidaires… total 53 000 objets qu'il a fallu acheter à Nantes. Le Kommandant est gêné et dit que cela relève des troupes (un Etat-Major n'est pas un régiment). Pour les aliments certains officiers veulent 12 œufs chacun ou 15 saucisses au déjeuner! Il faut ici s'en tenir aux rations réglementaires. Le Kommandant fait une circulaire dans ce sens à notre demande.

Jeudi 11 et vendredi 12 juillet 1940

Modification de la constitution de 1875. Le maréchal Pétain prend la place de Lebrun et devient seul chef… à son âge. Il réformera la constitution et celle-ci sera plébiscitée. Les journaux italiens paraissent peu croire à cette conversion de la France au fascisme. Les gens sont effarés et ne savent qu'en penser.

Travail continu à la préfecture; grand énervement du préfet qui ne comprend pas ce qu'il doit faire. La mer rejette beaucoup de corps de pauvres soldats anglais noyés au large de Saint-Nazaire quand deux vaisseaux furent coulés lors de leur départ. Toute la baie de Bourgneuf est pleine de cadavres de ces pauvres gens partis si confiants à la guerre.

Samedi 13 juillet 1940

Journée comme les précédentes, fraîche et pluvieuse. Hier, démarches pour une note à insérer relative aux interdictions du «14 juillet» (drapeau, Marseillaise, messes) pour éviter les incidents. Aujourd'hui trois démarches pour obtenir de la viande pour les réfugiés et les hôpitaux : il faut 1 tonne par jour environ (9 000 personnes à 125 g). Et toujours pas de train pour faire partir ces pauvres réfugiés dont certains sont là depuis un mois. C'est le rétablissement des trains qui est la première chose à faire.

Les Allemands prennent tout le ciment, pour des casemates probablement.

14 juillet 1940 : fête nationale

Négociations ce matin avec le Kommandant pour gerbe à mettre au monument aux morts. On se heurte à une interdiction d'en haut, malgré ce que le maréchal Pétain a affirmé. Celui-ci comme chef de l'Etat a nommé comme suppléant Laval. Journée lourde, couverte et très nuageuse.

Mercredi 17 juillet

Il paraît qu'à Nort-sur-Erdre, des affiches interdiraient sous peine de mort d'écouter les radios étrangères.

Jeudi 18 juillet 1940

Fête de Mimi qui reçoit un grand hortensia bleu. J'apprends qu'on a renoncé au gouvernement de Bretagne. [...]

La rencontre entre Pétain et Hitler, à Montoire, le 24 octobre, est très mal perçue en zone occupée.

Jeudi 31 octobre 1940

Affaires internationales très tristes. Le gouvernement français négocie pour aider l'Allemagne contre son ancienne alliée et amie de quarante ans ou presque, unie à elle à la vie et à la mort. Quelles menaces a-t-on dû faire peser sur le vieux chef d'Etat? Quelles promesses qui ne seront probablement pas tenues? Nous ne pouvons rien juger. Nous sommes le bétail qu'on se passe et qui n'a le droit de ne rien dire. Nous sommes aussi libres que les soldats d'une armée en campagne.

Mesures antisémites iniques : par exemple, pancartes jaunes aux devantures. Un d'eux a mis ses états de service de guerre en dessous et a bien fait.

Allé fleurir les tombes des Anglais et de quelques Français et Belges au cimetière du Pont du Cens hier. Des dames s'en occupaient. Il paraît qu'à La Baule des femmes l'ont fait également. [...]

Jeudi 7 novembre 1940

Il paraît que les étudiants voudraient faire grève le 11 novembre. On a réuni les directeurs pour les en empêcher. Ils n'en ont d'ailleurs pas entendu parler. Les Allemands craignant tout soulèvement vont ramasser maintenant tous les effets d'uniforme après avoir ramassé les armes et défendu les réunions de plus de dix gendarmes.

Le gros événement récent a été la réélection, fait unique, pour la troisième fois de Roosevelt à la présidence des Etats-Unis d'Amérique. Il a eu 450 électeurs contre un peu plus de 60 à Wilkie son concurrent. Ainsi la politique des U.S.A. continuera cinq ans sans interruption et la grande démocratie américaine va prendre probablement la tête du mouvement démocratique dans le monde entier. Grand embarras des journaux ce matin pour annoncer la nouvelle.

Le sous-préfet de Châteaubriant interrogé sur l'opinion de sa ville a répondu : 5 % pro-allemands dont 4,5 % par intérêt; 20 % indifférents; 75 % pour les Anglais. Le Maréchal est unanimement respecté, mais pas certains de ses ministres.

Mardi 12 novembre 1940

Hier, fête de l'armistice, pour la première fois interdite depuis vingt-deux ans. Il a fallu prêcher à la jeunesse patriote, la calmer et il y a eu malgré cela plusieurs échauffourées place Graslin, place du Palais de justice et au Jardin des plantes. On a pourchassé les jeunes gens et pris leurs cartes le matin. Ils venaient les rechercher à la Kommandantur et se faire attraper par un feldwebel de gendarme mal élevé. Il a fallu aller en sortir et se fâcher presque pour les avoir.

Le major Hahndorf de la Kommandantur est malade d'excès de table, probablement les reins ne vont pas. Il a trop fêté la venue de son successeur et ne peut maintenant partir. Le directeur d'un hôtel en face de la gare dit que les officiers y sont parfois ramenés par les ordonnances tant ils sont fatigués par la boisson. Temps de tempête doux depuis hier soir.

Le 20 octobre 1941, le Feldkommandant de Nantes est abattu par des résistants communistes. Le 22, quarante otages sont exécutés, dont seize à Nantes et vingt-sept à Châteaubriant. Les Allemands annoncent l'exécution de cinquante autres si les coupables ne sont pas livrés.

Mercredi 22 octobre 1941

A 15 h 30, je me rends à la Feldkommandantur pour faire rayer de la liste des otages à exécuter à Châteaubriant deux personnes de Paris. Le Dr Sieger me répond que la liste est

BEKANNTMACHUNG

Feige Verbrecher, die im Solde Englands und Moskaus stehen, haben am Morgen des 20. Oktober 1941 den Feldkommandanten in Nantes hinterruecks erschossen. Die Taeter sind bisher nicht gefasst.

Zur Suehne fuer dieses Verbrechen habe ich zunaechst die Erschiessung von 50 Geiseln angeordnet.

Falls die Taeter nicht bis zum Ablauf des 23. Oktober 1941 ergriffen sind, werden im Hinblick auf die Schwere der Tat weitere 50 Geiseln erschossen werden.

Fuer diejenigen Landeseinwohner, die zur Ermittlung der Taeter beitragen, setze ich eine Belohnung im Gesamtbetrag von

15 MILLIONEN FRANKEN
aus.

Zweckdienliche Mitteilungen, die auf Wunsch vertraulich behandelt werden, nimmt jede deutsche oder franzoesische Polizeidienststelle entgegen.

Paris, den 21. Oktober 1941.

Der Militarbefehlshaber in Frankreich
von STÜLPNAGEL
General der Infanterie

AVIS

De lâches criminels, à la solde de l'Angleterre et de Moscou, ont tué, à coups de feu tirés dans le dos, le Feldkommandant de Nantes (Loire-Inf.), au matin du 20 Octobre 1941. Jusqu'ici les assassins n'ont pas été arrêtés.

En expiation de ce crime, j'ai ordonné préalablement de faire fusiller 50 otages.

Etant donné la gravité du crime, 50 autres otages seront fusillés au cas où les coupables ne seraient pas arrêtés d'ici le 23 Octobre 1941 à minuit.

J'offre une récompense d'une somme totale de

15 MILLIONS DE FRANCS
aux habitants du pays qui contribueraient à la découverte des coupables.

Des informations utiles pourront être déposées à chaque service de police allemand ou français. Sur demande, ces informations seront traitées confidentiellement.

Paris, le 21 Octobre 1941.

Der Militarbefehlshaber in Frankreich
von STÜLPNAGEL
General der Infanterie

établie nominativement à Paris et qu'il leur est impossible de la modifier. Je téléphone immédiatement à la préfecture. Celle-ci alertera la Délégation qui interviendra auprès des autorités allemandes.

Ces diverses communications demanderont un certain temps et l'autorisation ne parviendra à Châteaubriant que vers 16 h 15, c'est-à-dire après l'exécution. Les deux internés en question n'avaient jamais été communistes et le gouvernement français avait décidé de les libérer. [...]

Je vais voir ensuite le Feldkommandant Von und zu Bodman pour intervenir en faveur de M. Blancho, au nom du préfet. Le Kommandant connaissait bien Blancho. Il promet de faire tout son possible, même aujourd'hui s'il en a le temps. Il paraît très sincèrement affligé des sanctions terribles ordonnées pour cet après-midi, mais, me dit-il, le Führer a été personnellement informé de l'attentat et a ordonné des mesures telles qu'il ne puisse se reproduire. Il me confirme que les listes d'otages à exécuter sont établies à Paris. J'apprends qu'il y a seize exécutions à Nantes à 4 h, en même temps que celles de Châteaubriant.

Je rentre immédiatement à la préfecture et y trouve le procureur qui nous apprend que les condamnés viennent de partir de la prison et qu'il y a cinq anciens combattants parmi eux. Le commissaire central, Lemoine, vient nous informer en même temps qu'on lui a demandé quatre agents et trente ouvriers avec pelles et pioches pour 16 h 45 à la Kreiskommandantur. Convoqué à 14 h à la Kreiskommandantur, il a été informé de l'exécution et gardé enfermé pendant deux heures.

Mlle Landois est venue dans l'après-midi s'offrir à être exécutée à la place d'un père de famille. Son offre est rejetée par les autorités allemandes.

Durant l'après-midi, un message avait été envoyé au maréchal Pétain et Me Guinaudeau était parti à Paris pour intervenir au nom des autorités locales.

Vers minuit, nous apprenons par le commissaire central que les victimes ont été enterrées dans les cimetières de Saint-Julien-de-Concelles, Haute-Goulaine et Basse-Goulaine (quatre dans la première localité et six dans chacune des deux autres). Les cercueils sont numérotés et les numéros figurent avec les noms sur une liste.

Nous travaillons pendant la nuit, M. Fresne et moi, à l'éloge funèbre éventuel du colonel Holtz.

Nous attendons en vain le nom des victimes que nous voudrions communiquer aux familles avant qu'elles l'apprennent par le journal.

Jeudi 23 octobre 1941

La liste des victimes se trouve dans les journaux du matin. C'est ainsi que le colonel Dabat apprend que son fils est fusillé en prenant son café. Cette manière cruelle d'informer les familles provoque un incident dont nous sommes saisis à la fin de la matinée. Le frère du jeune Grolleau apprend dans le tramway la mort de son frère. Il ne peut s'empêcher de témoigner son hostilité à des marins allemands qui sont avec lui sur la plate-forme et qui le font arrêter. Le directeur de son école, la Joliverie, puis la mère éplorée viennent demander à la préfecture d'intervenir en sa faveur. Nos démarches auprès du Feldkommandant aboutiront rapidement. Il sera libéré dans l'après-midi. [...]

En 1943, Nantes est touchée par le Service de Travail Obligatoire et subit des bombardements massifs, tandis que résonnent les échos de la guerre civile.

Jeudi 18 mars 1943

Toujours période d'attente, avec temps de printemps merveilleux dont on ne peut jouir, avec les horreurs qui nous entourent et dont on entend sans cesse parler : bombardements, arrestations, déportations, etc.

Les gens perdent courage à force d'attendre, car les départs pour l'Allemagne les menacent dans presque toutes leurs familles. Hier cinq cents ouvriers ont été arrêtés ainsi dans leur travail et envoyés au château pour partir à la gare. Qui croyait, il y a quatre ans, que le château pourrait resservir comme prison! On aurait pensé que cette époque était à jamais révolue!

Peu de nouvelles de guerre. J'ai vu ce matin le maire de Saint-Nazaire qui m'a parlé de l'incendie qui a ravagé toute sa ville. Les pompiers de Nantes ont été requis pour les chantiers navals et n'ont pu arrêter l'incendie dans la ville. La base sous-marine est indemne; elle abritait trente-quatre sous-marins lors du grand bombardement. Chaque alvéole en peut abriter trois.

Lundi 22 mars 1943

Hier, discours du Führer; rien de particulier. Discours du premier Anglais sur la Société des Nations après la guerre. Attaque en Tunisie, laquelle paraît générale autant qu'on peut le comprendre. En Russie, situation toujours confuse, combats surtout dans la région de Kharkov et vers Smolensk semble-t-il.

Les départs pour l'Allemagne continuent toujours à un rythme accéléré; le pays se vide d'hommes, ce qui va paralyser la vie économique et même les fournitures pour les Allemands. [...]

Jeudi 16 septembre 1943

Un bel après-midi de septembre. Le temps est clair; dans le ciel bleu passent de gros nuages blancs. C'est jeudi : comme de coutume, beaucoup de familles se dirigent vers le centre de la ville. Nous aussi nous remontons tous les cinq la rue de Strasbourg. Nous allons arriver au carrefour de Châteaudun quand le mugissement des sirènes nous fait tressaillir, de surprise plutôt que d'effroi. Les alertes de jour sont si rares! C'est quelque passage d'avions... Nos esprits préoccupés ne se rappellent pas la récente catastrophe de Rennes. Je regarde ma montre : quatre heures moins dix. Faut-il rejoindre l'abri de la préfecture? A quoi bon? Une visite nous a mis en retard et la doctoresse Bonte attend nos trois enfants pour les vaccins. Son appartement occupe l'entresol d'un haut immeuble situé près de la cathédrale. La protection sera à peu près aussi efficace que dans une cave... Quelques pas encore, et nous voilà arrivés. Le temps de sortir notre dernier né de sa voiture, de gravir l'escalier obscur, d'entrer dans le cabinet de la doctoresse après cinq minutes d'attente, et la mort va nous frôler et surprendre, ô stupidité criminelle de la guerre! plus d'un millier de pauvres êtres humains qui observeront sans méfiance les avions ou iront se réfugier en hâte dans les couloirs des maisons de la vieille ville...

Nos deux aînés viennent d'être vaccinés les premiers pour rassurer le plus jeune : la doctoresse remplit pour la troisième fois sa seringue de cristal, mais la repose aussitôt, stupéfaite : le vrombissement de nombreux avions, suivi immédiatement du fracas de la D.C.A. et d'explosions proches, nous surprend tous. La famille de Mme Bonte accourt. D'une fenêtre je vois au dernier plan, derrière la rue Thiers, une colonne de fumée noire s'élever des immeubles qui dominent la rue de l'Arche-Sèche. «Une bombe mal dirigée, pensé-je, vient de tomber du côté de la rue du Calvaire». A peine avais-je eu le temps de me représenter ce terrible accident que la galopade effrénée d'une foule muette se rapproche par la rue St-Denis, à l'angle de laquelle nous nous trouvons; des dizaines, des centaines de passants, surtout des hommes, avec de nombreux uniformes verts en tête, courent en rangs serrés vers la place du Moustier. «Qu'y a-t-il?» leur crié-je en français, puis en allemand. Personne ne répond. L'épouvante leur ferme la bouche. Mutisme effrayant. Qu'ont-ils vu? Que fuient-ils? Je remarque qu'ils s'écartent tous de la Loire et que les Allemands, habitués plus que nous aux bombardements, les guident. Cette réflexion m'a échappé quand arrive du Nord-Est une seconde vague de bombardiers, annoncée par un terrible barrage de D.C.A. Nantes est certainement leur objectif. Cela devient grave! Nous courons nous serrer tous au fond de la pièce, dans l'embrasure du gros mur de refend. A ce moment, un fracas terrifiant, inhumain, comme le grondement d'un express sur un pont métallique, comme une cascade de chaudrons et de casseroles tombant du ciel, fait monter notre cœur à notre gorge. Pendant quelques interminables secondes, ce bruit recommence. La dernière bombe va frôler le toit de la maison, car son mugissement grandit jusqu'à devenir assourdissant. Les enfants crient; ma femme et moi, d'un regard, nous nous comprenons : notre dernière heure est arrivée. Mais la trajectoire s'achève cent mètres plus loin, en une épouvantable explosion. La maison chancelle comme un navire. Les fenêtres s'ouvrent; un ouragan de poussière et de ferraille balaie la rue. Je cours à la fenêtre : à gauche, derrière le tramway vide, arrêté cinquante mètres plus bas depuis l'alerte, il n'y a plus qu'un impénétrable rideau de fumée noire. Quelle dévastation cache-t-il? D'un signe j'appelle Mme Bonte. «Mes enfant! Mes infirmières !» s'écrie-t-elle aussitôt, pensant aux consultations du Bureau de bienfaisance tout proche. Et nous nous précipitons tous deux dans la rue, après avoir recommandé à nos familles de ne pas sortir avant la fin de l'alerte et de soigner les victimes que nous pourrions leur envoyer...

C'est ainsi que nous avons traversé au pas de course le carrefour désert, jonché de débris de verre et de tuffeau, sous ce beau soleil d'automne, souillé maintenant par la fumée des explosions et des incendies... Et déjà apparaissent les premières femmes hagardes, couvertes de plâtres, le visage parfois ensanglanté par des éclats de verre. [...]

Vendredi 22 octobre 1943

Une autre catastrophe a atteint cette fois notre famille : notre cher beau-frère Pierre Lespinasse a été assassiné le dimanche 10 octobre vers 8 h 45 alors qu'il allait à la messe avec Lily et Edith (*Note : sœurs de E. Duméril*). Cinq coups de revolver dont trois mortels tirés dans le dos à cinq mètres à peine. Il est mort aussitôt dans les bras de Lily. Ce terrible coup a été appris à la campagne vers 17 h; on parlait de décès et c'est seulement le lundi que j'ai appris l'atroce réalité. (*Note : Pierre Lespinasse, procureur au tribunal de Toulouse fut assassiné à la veille du procès de résistants communistes.*)

Edmond Duméril,
Journal d'un honnête homme pendant l'Occupation (juin 1940-août 1944)

Un grand bourgeois

Sous-gouverneur de la Banque de France en 1926, membre des conseils d'administration de grandes banques d'affaires, Charles Rist est un homme d'influence. Déclinant le poste d'ambassadeur de Vichy à Washington, et refusant de rejoindre Alger malgré ses sentiments résistants, ce protestant de soixante-cinq ans reste à Paris, auprès des siens. Son journal offre un regard aigu et distancié sur la grande bourgeoisie française de l'époque.

Vendredi 2 janvier 1942

Hier tous les enfants réunis – sauf Jean et Claude. Musique de Léonard et Marie. Jeux avec Isabelle. Tout le monde plus en train que l'année dernière!

Il ne faut jamais oublier que l'immense majorité des gens n'éprouvent rien de semblable à cette exaltation qui nous saisit devant les grands événements historiques et les malheurs ou la grandeur de la patrie. Pour la plupart – et surtout pour les bourgeois qui n'ont plus la réaction instinctive des gens du peuple devant l'«étranger» – les défaites sont des cataclysmes physiques, comme une épidémie ou une inondation, aux conséquences desquelles il s'agit d'essayer d'échapper pour son propre compte. Ces mêmes gens, d'ailleurs, sont incapables d'imaginer cette même exaltation chez les autres peuples. De là cette perpétuelle méconnaissance de ce qu'il y a de mystique et de fantastique dans l'imagination et les projets d'un Hitler.

On veut toujours le ramener aux proportions «raisonnables», c'est-à-dire «sages» et «modérées», qu'un bourgeois français ou anglais (car les Anglais ont péché plus ou autant que nous dans cette histoire) se contenterait de donner aux transformations historiques. De là ce refus de croire à l'énormité de ses prétentions, au gigantesque de ses projets et de ses préparatifs, à ce qu'il y a d'«*uferlos*», de «sans rivage», d'indéfini dans toute cette psychologie. De là aussi cette croyance qu'on s'en tirera avec quelques concessions et quelques arrangements, et ce refus de se mettre en face à la fois de la grandeur tragique et de la *totale absurdité* des événements actuels. Car reconnaître cette absurdité tragique, ce serait reconnaître que l'absurdité ne peut se vaincre que par la

force, et par un effort proportionné à cette absurdité, ce que leur paresse refuse d'accepter. [...]

La loi sur les Juifs est un scandale et une absurdité. Il ne suffit pas pour être reconnu aryen d'avoir deux grands-parents aryens sur quatre. Il faut encore que l'on ait fait «acte d'adhésion» à une autre religion avant le 25 juin 1940. Cet acte d'adhésion, en pratique, signifie «avoir été baptisé». Ainsi ceux que leurs parents ont voulu élever dans l'agnosticisme ou la «libre pensée» continueront à être juifs, mais ceux que l'on a *baptisés* protestants ou catholiques seront des aryens. Ainsi la race dépendra de la religion – et cependant un enfant non baptisé avant le 25 juin 1940 pourra bien, après cette date, adopter le christianisme mais ne cessera pas pour cela d'être légalement juif. Mettetal me raconte qu'il y a des prêtres et des religieuses qui, ayant trois ou quatre grands-parents juifs, mais dont les parents s'étaient convertis, sont considérés comme juifs et se sont déclarés tels à la police. On aura donc des enfants chrétiens de croyance et de pratique – et qui seront civilement juifs, c'est-à-dire privés du droit d'exercer toute une série de métiers, simplement parce qu'ils n'auront pas été baptisés à temps.

Il va sans dire que dorénavant, pour se soustraire à ces conséquences, tous les enfants de mariages mixtes seront baptisés aussitôt après leur naissance. Seuls ceux qui n'étaient pas en règle au 25 juin 1940 seront persécutés. Maxime Leroy me raconte qu'il a obtenu d'une brave femme un certificat d'«ondoiement» de son fils, qui sans cela aurait été chassé de son poste, étant né de mariage mixte. Dorénavant, a dit le Maréchal, il n'y aura plus de «mensonges».

Beaucoup de Français justifient aujourd'hui leur «collaboration» ou leur «acceptation» des événements par le «génie» d'Hitler. Encore une de ces effarantes méconnaissances des hommes de l'autre côté. [...]

Vendredi 9 janvier 1942

Passé à Ugine lundi. Jaoul et Perrin font de grands efforts pour me persuader de voir le Maréchal et de l'encourager dans son désir de ne pas se brouiller avec les Etats-Unis. Chose curieuse l'Allemagne, jusqu'ici, n'a pas demandé que nous rompions avec ceux-ci. D'un commun accord les Etats-Unis continuent à ravitailler l'Afrique du Nord.

Mot entendu dans la bouche du conservateur T. : «Quels imbéciles que ces bourgeois français qui se réjouissent des succès bolchevistes! Ils déchanteront quand les Russes auront bolchevisé l'Allemagne.» Exemple typique des idées des conservateurs. Le bolchevisme est le seul véritable ennemi. La bolchevisation de l'Allemagne, c'est la menace que l'on brandit sur nous depuis dix ans. Or, l'Allemagne est *imbolchevisable*, – et les Allemands le savent tous les premiers. Le bolchevisme allemand c'est justement le nazisme. Il est autrement redoutable que l'autre. [...]

Charles Rist,
Une Saison gâtée.
Journal de la guerre et de l'occupation
(1939-1945)

Une assistante rurale à Cossé-sur-Cher

La Ferrière, par Cossé-sur-Cher, est un petit village de zone libre, dans le Cher, département coupé en deux par la ligne de démarcation. De février 1942 à février 1943, Paule-Marie Weyd, formée à l'Ecole supérieure d'agriculture d'Angers, d'obédience catholique et auteur d'un manuel sur la «vie paysanne féminine» (1941), y est nommée aide-assistante rurale. Journal d'une «servante du Seigneur», ce texte décrit les très riches heures d'une campagne totalement à l'écart du temps.

10 février 1942

Ainsi s'arrange peu à peu notre vie, cette vie de remplacement, succédant à celle que nous avions choisie, organisée, qui s'écoulait si heureuse, et que le fléau de la guerre a saccagée. Mais nous nous retrouvons tous les deux. N'est-ce pas une grâce immense, que je n'osais plus rêver dans ces sombres jours de l'exode, alors que chaque jour qui passait enlevait un peu de mon espoir?... Nous *vivons*, nous aurons ici, non seulement le nécessaire, mais encore un peu de ce superflu sans lequel le bonheur humain ne saurait exister. [...]

26 juillet 1942

Dans un village des environs, un fermier ayant perdu deux vaches coup sur coup, remonta complètement son étable sans s'adresser aux marchands de la région. Les animaux étaient maigres, sans apparence de santé, mais il en avait cinq au lieu de deux, et on se contenta de penser qu'il avait profité d'une occasion pour se fournir dans des conditions avantageuses. Trois mois après seulement, les nouvelles vaches vendues dans les foires, et remplacées encore une fois, mais chez des marchands du pays, la vérité fut découverte.

Son père, qui habite loin de chez lui, ayant voulu vendre ses bêtes, vit les services vétérinaires les refuser à l'abattoir pour tuberculose. Sans se déconcerter, l'homme les passa au gendre, qui s'en débarrassa au bout de quelques semaines de la manière que je viens de raconter.

On pense avec effroi aux conséquences de cette action dans un pays où le lait n'est jamais bouilli pour la consommation. Mais comment qualifier une telle conduite?... Et combien d'années faudra-t-il pour redresser un sens moral ainsi déformé? [...]

Le 11 novembre, les troupes allemandes ont envahi la zone libre. Elles sont passées à quelques kilomètres à peine de Cossé-sur-Cher. Mais l'auteur n'en dit pas un mot car un autre drame se joue à ce moment-là : le petit Félix a la tuberculose.

15 novembre 1942

Aujourd'hui, c'est le Dr Bressigny qui est venu nous apporter des nouvelles de Félix. Non content des lettres du petit, après cette crise qui, heureusement, n'a pas eu de suite, il a réclamé à son confrère des précisions médicales, et celles-ci sont bien encourageantes.

La radio a montré la lésion du sommet limitée; le reste du poumon est redevenu clair. Concurremment, l'analyse est meilleure. Il n'y a plus qu'un bacille pour dix champs.

Evidemment, c'est encore trop! Mais on ose maintenant parler de guérison complète... Attendons! [...]

20 décembre 1942

Je suis tout heureuse en pensant aux jours qui vont suivre.

Jamais, depuis vingt ans au moins, il n'y a eu ici de messe de minuit. Elle se dit naturellement à Clairval où réside notre curé, tandis qu'un prêtre de Dun vient en dire une autre à Montesson et notre pauvre Pierrefitte reste privé de tout ce qui fait, de cette fête, une journée «à part» et lui donne son caractère vraiment unique dans le cours de l'année.

On pouvait craindre que rien ne soit changé, cette fois encore. Mais mon oncle Louis, en rejoignant son poste de professeur au séminaire de Lille, revient de Lozère où il est allé voir mes parents. Il a pensé à nous, isolés de toute la famille, et s'arrêtera quelques jours au passage. [...]

18 janvier 1943

Les maires, les institutrices ou instituteurs que je suis allée trouver dans chaque commune ont accepté d'organiser le recrutement des élèves. J'ai fait également une visite aux prêtres, curés des paroisses du canton. Ils voient cette initiative avec grand plaisir... et un peu de scepticisme. Notre curé, lui, pousse à la roue, devant les résultats obtenus chez nous. Alors, comme il a une grande influence sur ses confrères, nous aurons le sacerdoce pour nous. Nous ferons donc une «Semaine rurale», la première qui ait eu lieu dans cette région... Puisse-t-elle être suivie de beaucoup d'autres! [...]

Au programme : raccommodage d'une pièce en Vichy, d'un fond de pantalon d'homme ou de garçonnet, remise d'un talon à une chaussette usée, patrons de blouse de ménage et des différents cols, confection d'une paire de chaussons.

Comme plan général de causeries, l'assistante traitera le sujet suivant :

«LA JEUNE PAYSANNE DEVANT LA VIE.»

1er jour : La jeune paysanne et sa famille.

2e jour : La jeune paysanne et son travail.

3e jour : La jeune paysanne et son avenir.

Paule-Marie Weyd,
Journal d'une aide-assistante rurale

Un juif français d'origine russe

Réfugié politique en 1909, Jacques Biélinky est naturalisé français en 1927. Son journal reflète l'état d'esprit des juifs d'origine étrangère durant l'Occupation, déchirés entre leur amour pour la France et la prise de conscience que la terreur nazie et les lois de Vichy n'en font plus une terre d'asile. On le sent ici anxieux de déceler chez ses compatriotes des réactions de sympathie à l'égard des juifs persécutés. Il mourra à Sobibor, en 1943, à 62 ans.

2 juin 1942

[...] Aujourd'hui je me suis rendu au commissariat de police de mon quartier recevoir «l'étoile juive», c'est un morceau d'étoffe jaune avec *Magen David* et le mot «Juif» tracé dedans. Le secrétaire du commissaire, ayant découpé un ticket dans ma carte des textiles, m'a fait signer dans un livre et m'a remis trois exemplaires de l'insigne, en m'avisant qu'il faut la porter à partir de lundi prochain. Pour le même sujet il n'y avait qu'une dame juive au commissariat à ce moment.

3 juin 1942

J'apprends que les Juifs turcs (étant d'un pays neutre) ne sont pas obligés de porter l'insigne. Une famille amie s'est présentée hier au commissariat, le mari et la femme n'ont pas reçu d'insignes, mais on leur a donné six insignes pour leurs deux fillettes de six et neuf ans, toutes deux nées à Paris et traitées comme Françaises. On a déjà remarqué dans les rues et au métro des Juifs décorés d'insignes avant le terme.

4 juin 1942

Il paraît que les Juifs hongrois ne sont pas obligés eux non plus de porter l'insigne juif. Si la solidarité juive n'était pas une légende créée par les antisémites, les Juifs favorisés devraient de leur propre volonté porter l'insigne pour manifester leur sympathie et leur solidarité. Mais ils ne le feraient pas. La lâcheté, la mesquinerie et l'égoïsme sont les attributs de tous les hommes «civilisés», Juifs et non-Juifs.

5 juin 1942

A la cantine de la rue Richer ce matin sont venues deux jeunes filles qui ont déjà cousu leur *Magen David* découpé sur leur poitrine avant le terme «légal». Elles ont pris le métro à la République et pourtant, sur leur trajet, personne ne leur adressait nul propos. Les clients de cette cantine juive, tous ruinés et dépossédés, paraissent assez calmes.

Le gendre de M. Raphaël, pharmacien à Bourg-la-Reine, ayant été arrêté, sa femme s'est rendue à l'hôtel Majestic pour savoir où il était interné. Mais là elle fut gardée et internée à la Tourelle, où les parents peuvent la visiter deux fois par semaine.

6 juin 1942

Rue Mouffetard j'ai rencontré un jeune homme élégant, type d'étudiant, qui passait avec son «étoile juive» sur la poitrine. Personne ne lui adressait aucune parole, ni bonne ni mauvaise.

Une dame juive, dont la fille travaille chez un notaire, me raconte qu'elle vient depuis trois jours à son service avec son *Magen David* et elle a été félicitée par son patron. Dans un des services de la Caisse des dépôts et consignations, tous

les employés (environ soixante-quinze), par solidarité avec une employée juive congédiée, sont sortis dehors décorés d'insignes confectionnés selon le «modèle officiel» en papier jaune.

Dans les écoles les mesures sont prises pour que les écoliers juifs ne soient pas victimes de railleries ou d'agressions. «Tu sais, maman, la semaine prochaine on va rigoler à l'école», l'intervention énergique des parents...

7 juin 1942

Journée passée à Sceaux, sans étoile. Ai rencontré un Juif à la queue au lait, il ne portait pas encore lui non plus son insigne.

8 juin 1942

Le matin, première sortie avec mon insigne juif : dans la rue personne ne fait attention à ma décoration, au bureau de tabac, chez la marchande de journaux, non plus. Une voisine, rencontrée au retour, me dit bonjour aimablement comme toujours.

Seconde sortie : à la boulangerie la patronne très aimable me causait sans avoir l'air de remarquer l'étoile. A la queue au lait toutes les connaissances me saluent aimablement et on cause comme d'habitude. Nul regard hostile, on bavarde cordialement. Ai déjà rencontré deux Juifs et une jeune fille juive, que je ne connais pas.

Troisième sortie : au métro personne ne me dit rien. Dans le IVe arrondissement, les rues sont pleines de «décorés», beaucoup d'enfants qui jouent dehors portent la décoration.

La femme d'un ami était allée chez sa crémière qui distribuait un fromage blanc par cliente. Pour lui manifester sa sympathie la crémière lui a donné deux fromages. La fille de Lobermann était très apeurée de perdre ses camarades catholiques. Les voici qui viennent toutes chez elle lui manifester leur sympathie et leur désir de sortir avec elle décorée... [...]

14 juillet 1942

Cette fête nationale a commencé à une heure du matin par une alerte qui a duré une heure. Mais il n'y avait pas de bombardements ni de bruits d'avions. Journée triste, sans événements.

15 juillet 1942

Un nouvel avis s'occupe des Juifs : il leur est interdit de fréquenter les restaurants, cafés, cinémas, théâtres, concerts, music-halls, piscines, plages, musées, bibliothèques, expositions, châteaux, monuments historiques, manifestations sportives, champs de courses, parcs, campings et même cabines téléphoniques, foires, etc.

A la première page de *L'Œuvre* qui publie cet avis se trouve l'article de Maryse Choisy, «Le Paradis des lapins», or cette collaboratrice de *L'Œuvre* est juive polonaise cent pour cent qui fit il y a quelques années un reportage en Pologne, où elle parlait yiddish avec les Juifs de Varsovie. Pourquoi ne porte-t-elle donc pas l'étoile juive ?...

Il paraît que les Juifs et Juives de dix-huit à quarante-cinq ans seront arrêtés pour être envoyés aux travaux forcés en Allemagne.

16 juillet 1942

Arrestations massives des Juifs à Paris.

17 juillet 1942

Les arrestations continuent, le Vel-d'Hiv, le cirque d'Hiver, les garages sont transformés en prisons provisoires. Des enfants sont séparés de leurs parents, des suicides, des scènes atroces. Il s'agit de déportations en masse, rapidement exécutées. On en parle partout.

18 juillet 1942

Encore un avis contre les Juifs. Le commissariat de Darquier de Pellepoix ne s'en occupe donc plus. Le voici ci-joint. L'heure autorisée aux Juifs de fréquenter les boutiques (de trois à quatre heures) signifie qu'ils pourraient bien mourir de faim, car précisément la majorité des magasins d'alimentation est fermée à cette heure-ci. *L'Œuvre* qui annonce cet avis en première place publie sur la même page un article d'Alexandre Zévaès, qui est juif, mais il ne porte pas d'insigne on ne sait pourquoi, et n'est pas chassé de la presse.

19 juillet 1942

Au Vel-d'Hiv sont entassés quinze mille Juifs arrêtés (hommes, femmes, enfants) qui couchent par terre et ne sont pas nourris. Il y a déjà plusieurs morts, car il pleut et il fait froid. A l'asile de la rue Lamarck on entasse les enfants des familles arrêtées. Personne ne sait où va-t-on diriger les arrêtés. La panique règne dans la population juive et les suicides deviennent fréquents. Le nombre d'arrêtés dépasse vingt mille, paraît-il.

Mais il y a des Juifs favorisés. Ce sont les employés de l'Union des Israélites de France, qui sont à l'abri de tout internement et dont la totalité des appointements atteint 540 000 francs par mois, d'après certains témoignages.

A l'asile de la rue Lamarck trois Juifs ont été arrêtés sur neuf qui y couchaient. Actuellement la maison est réservée uniquement aux enfants des arrêtés. Par une loi du 31 décembre 1941 les

TÉLÉPHONE

ACCÈS
INTERDIT
AUX JUIFS

Un des nombreux lieux publics interdits aux Juifs.

maisons de tolérance sont assimilées aux salles de spectacles et frappées d'impôts au profit du budget municipal. Les patrons de ces maisons font maintenant partie du comité professionnel de l'Industrie hôtelière. Il y aura donc intérêt à multiplier les bordels puisque cela rapporte aux municipalités et les tenanciers peuvent honorablement siéger dans les corporations des hôteliers. Vive l'ordre nouveau, l'Europe nouvelle, etc.! Heureusement que les Juifs ne sont pas admis dans cette corporation et seuls les Aryens peuvent posséder des maisons de tolérance.

20 juillet 1942

Le nombre d'arrêtés dépasse trente mille dont quinze mille sont entassés au Vel-d'Hiv.

Presque tout le personnel de la cantine juive de la rue Richer est arrêté, y compris le gérant Schulman et sa femme.

21 juillet 1942

Malgré le décret ou avis, j'ai vu des Juifs décorés faire la queue devant les boutiques le matin. On raconte que les Juifs ne sont pas autorisés à entrer dans les squares des quartiers.

22 juillet 1942

On apprend que le peintre Feder, arrêté il y a quelques semaines, se trouve au Cherche-Midi, mais sa femme est libérée.

Mon cordonnier de la rue Broca, Juif polonais, est arrêté avec sa femme. Ma paire de souliers, que je lui ai confiée pour réparation, est restée chez lui. Or, son logement est fermé, n'ayant ni enfants, ni parents.

23 juillet 1942

Les Juifs n'osent plus faire la queue devant les marchands de quatre-saisons, heureusement qu'ils trouvent beaucoup de personnes complaisantes dans la population française. D'ailleurs il est impossible d'empêcher une ménagère française d'acheter pour son voisin juif. Comment savoir que telle ménagère se trouve à la queue non pour elle?...

24 juillet 1942

De divers côtés on communique que les sympathies augmentent dans la population parisienne envers les Juifs.

Jacques Biélinky, *Journal (1940-1942)*
Un journaliste juif à Paris sous
l'Occupation

Un juif français de souche en zone sud

Raymond-Raoul Lambert est surtout connu comme l'un des dirigeants de l'Union générale des Israélites de France (U.G.I.F.), créée en décembre 1941 sur pression de l'occupant et de Vichy. Mais les extraits présentés ici portent sur sa violente réaction de juif français de souche face aux lois antisémites de l'«Etat français» qui lui nient soudain sa qualité de citoyen à part entière. Lui et les siens périront à Auschwitz, en 1943.

Marseille, 2 octobre 1940

L'un des plus attristants souvenirs de ma vie. Ce matin j'ai lu dans la presse : «Le Conseil des ministres a continué l'étude et la mise au point du Statut des Israélites...» Il se peut donc que, dans quelques jours, je sois citoyen diminué, que mes fils, français de naissance, de culture et de foi, soient brutalement et cruellement rejetés hors de la communauté française... Est-ce possible ? Je ne puis y croire. La France n'est plus la France. Je me répète que l'Allemagne commande pour excuser encore cette offense à toute une histoire – mais je ne puis réaliser encore.

Luchon, 9 octobre 1940

Je suis à Luchon, en mission pour le comité des réfugiés puisque j'ai repris mon activité sociale pour assurer le pain de mes enfants.

Ici j'ai trouvé un millier de malheureux Juifs de Hollande et de Belgique, dans l'angoisse et dans la misère, mais l'avenir est, pour eux, plus redoutable encore que le présent.

Dans la presse de ce matin est publié le décret signé Pétain qui annule le décret Crémieux. Les Juifs d'Algérie ne sont plus citoyens français... Le Maréchal s'est déshonoré. Quelle honte et quelle infamie ! Un père qui a perdu son fils à la guerre, parce qu'il est juif, n'est plus, en Algérie, citoyen français... Est-ce cela l'armistice dans l'honneur ? Je suis incapable de réaliser cette injustice, tellement j'ai honte pour mon pays. Ah ! si je n'avais pas une femme, trois fils et des tombes à surveiller sur le sol encore français ! comme je saurais où est la route de l'action, de la révolte et de la lutte pour ce qui donne du prix à la vie !

Depuis Nîmes j'ai lu pas mal de livres,

un peu de tout sans grand choix ni méthode, pour me tenir l'esprit éveillé.[...]

Marseille, 19 octobre 1940

Hier matin par un communiqué, préliminaire atroce et injuste, hier soir par le texte paru à *l'Officiel*, j'ai appris le *Statut des Juifs*. Le Maréchal et son équipe, aux ordres de Hitler, disposent de ma personne et de l'avenir de mes enfants... Les Juifs de France, même ceux qui sont morts pour le pays, ne se sont jamais assimilés. Le racisme est devenu la loi du nouvel Etat. Quelle honte ! Je ne puis encore réaliser cette négation de la justice et de la vérité scientifique... Toutes mes illusions s'écroulent ! J'ai peur non pour moi, mais pour mon pays. Cela ne peut pas durer, cela n'est pas possible. Mais, dans l'histoire, cette abolition de la Déclaration des droits de l'homme en 1940 apparaît comme une nouvelle révocation de l'édit de Nantes... Jamais je ne quitterai le pays pour lequel j'ai failli être tué, mais mes fils pourront-ils vivre si on leur refuse de choisir librement leur carrière ? Je n'ai plus le droit d'écrire pour des raisons de sang, je ne suis plus officier... Si j'étais professeur, je serais renvoyé parce que juif ! Je ne puis pas réaliser encore...

Deux hypothèses : ou bien l'Allemagne est vaincue par les Anglo-Américains et l'humanité est sauvée ; ou bien l'Allemagne gagne et une nuit d'un siècle s'appesantit sur l'Europe. Le judaïsme se maintiendra, comme au Moyen Age. Mais quelle souffrance, quand on a joui de toutes les libertés, d'être un citoyen de seconde zone quand on ne l'a pas mérité... Où dort en ce moment la pensée libre de France, [...] de Descartes et de Hugo ?

J'ai pleuré hier soir comme l'homme qui, subitement, serait abandonné par la femme qui a été le seul amour de sa vie, le seul guide de sa pensée, le seul chef de ses actions.

Le 6 novembre 1940

Un ami m'écrit : On ne juge pas sa mère, même quand elle est injuste. On souffre et on attend. Ainsi devons-nous, Juifs de France, courber la tête et souffrir. Je suis d'accord. Je ne puis toujours croire que tout cela soit définitif. Même en zone libre, nous vivons sous le régime allemand. La presse est dirigée. Aucun esprit libre n'a la possibilité de se faire entendre. La guerre continue. Attendons. Mais, sans cesser d'être français, acceptons l'épreuve et ne renions rien de notre judaïsme.

J'ai lu [...] un livre facile d'Armand Robiquet, *La Vie quotidienne au temps de la Révolution*. Le pittoresque des détails prosaïques me fait comprendre un peu mieux notre époque : les restrictions dont souffre (bien peu) ma femme pour la nourriture des enfants, l'absence d'huile et de pommes de terre sur les marchés, etc. voilà ce que signifie la défaite pour le *vulgum pecus*.

Et la radio officielle de mon pays continue à prêcher la haine contre les Juifs... Toutes les formules qui, depuis 1933, avaient cours en Allemagne sont maintenant adoptées en France. Est-il possible d'en croire un mot ? Que ferais-je si j'étais chrétien ? Je crois que j'aurais les mêmes pensées, les mêmes dégoûts, les mêmes espérances.

Symbole : la censure a tronqué plusieurs phrases dans un article purement littéraire consacré à Descartes.

Raymond-Raoul Lambert,
Carnet d'un témoin (1940-1943)

Un travailleur polonais en exil

Né en 1913, Andrzej Bobkowski s'est trouvé bloqué à Paris, au début de la guerre alors qu'il était en route pour l'Amérique du Sud. Parlant mal le français mais bien l'allemand, il est chargé d'assister les travailleurs polonais en France auprès des autorités allemandes. Son journal jette sur le pays qu'il a tant admiré naguère une lumière crue, sans chagrin ni pitié.

18 juin 1940

Nous nous sommes levés vers sept heures. Le ciel était couvert et la pluie n'était pas loin. Les Allemands en ont fini avec la France, ils n'ont plus besoin du beau temps. Le septembre polonais et le mai-juin français ont été, tous les deux, chauds et ensoleillés. *Hitlerwetter* [«Un vrai temps pour Hitler»]. La pauvre Pologne sans ressources et la riche et grande France se seront défendues aussi longtemps l'une que l'autre. Nous estimions scandaleuse la façon dont nous nous étions défendus, mais comparée à elle, la façon dont se sont défendus les Français est véritablement criminelle. Nous voulions nous défendre mais nous n'avions pas de quoi, alors qu'eux avaient de quoi se défendre mais ne le voulaient pas.

Je me demande si la France s'en relèvera. Cette idée me hante depuis hier. [...]

L'exode l'a conduit dans le sud de la France, du côté de Carcassonne.

28 juillet 1940

[...] Il y a eu la guerre, elle continue, mais pour eux, c'est comme si elle était déjà finie; elle n'est d'ailleurs jamais arrivée jusqu'ici. Ils n'ont pas changé, Le soir, je sors. Le soleil a disparu derrière les maisons et on ne le sent plus que dans les rues étroites où les pierres blanchies par la canicule sont encore chaudes; les murs des maisons dégagent encore sa chaleur. [...] C'est l'heure à laquelle on ouvre les volets, fermés toute la journée. Les gens tirent devant chez eux tabourets, fauteuils ou bancs. De vieilles femmes en noir s'y asseyent; elles font de la couture, du crochet ou des raccommodages, tout en bavardant. [...]

Après un périple dans le Sud-Est, qu'il décrit comme une promenade touristique, il regagne Paris fin septembre 1940.

19 décembre 1940

La *queue* [en français dans le texte] est un problème qui tient maintenant beaucoup de place dans l'existence. Je fais la queue et j'écoute. Je suis au milieu d'une foule de bonnes femmes, de créatures qui semblent sorties tout droit des caricatures de Daumier, des gravures de la Révolution du musée Carnavalet; des tricoteuses, vêtues de guenilles sales, de chaussures éculées couvertes de crasse, avec des bas qui tombent et des poils hérissés. Chacune d'entre elles renchérit sur le nombre de queues qu'elle a déjà faites aujourd'hui et le temps qu'elle a passé debout. «Deux heures, pensez-vous. Vous voyez à quoi on en est arrivé. Hier, pour le déjeuner, j'ai dû...» Suit la description détaillée de ses activités culinaires. Puis on reparle de viande, de sucre, de beurre et de pommes de terre.

Soudain une bagarre. Quelqu'un essaie de se faufiler au début de la queue. Quelques bonnes femmes en colère se précipitent et commencent à injurier cette resquilleuse en appelant à témoin l'entourage le plus proche. Leurs «Ah non, ça alors!» qu'elles répètent cent fois sur tous les tons, sont couverts par le grondement du reste de la queue. Tout s'explique: la femme qui essayait de se faufiler sans faire la queue est enceinte.

Elle porte ostensiblement son ventre en avant et riposte aux commères. Elle fait penser à une grosse toupie de tôle qui virevolte en émettant des bruits et des bourdonnements divers. Les femmes enceintes ont la priorité, elles possèdent des cartes de priorité délivrées par les mairies, qui les dispensent de faire la queue. Les commères rejoignent leur place en marmonnant: «Personne ne va se battre pour une place, pensez-vous, mais il faut quand même une justice...» Elles sont particulièrement suspicieuses à l'égard des femmes enceintes parce qu'au début, il n'y avait pas encore de cartes de grossesse officielles, obtenues sur présentation d'un certificat médical, et on voyait apparaître dans les queues des tas de femmes enceintes qui exigeaient la priorité, qu'elles obtenaient grâce au culte qu'on a ici de la grossesse. Du jour où on a découvert que le ventre majestueux d'une future mère n'était que des coussins glissés sous sa robe ou son manteau, fini le bon temps. Maintenant, la première réaction de ces mégères en colère, d'une colère qu'elles répriment difficilement, est de tâter le ventre de celles qui passent devant sans faire la queue. «On les connaît bien, ces femmes enceintes...» lancent-elles toujours en réintégrant leur place d'un mouvement de punaise escaladant un bois de lit.

Le tumulte s'est apaisé; les commères

se remettent à discuter. La viande, le sucre, les conserves Olida, le saindoux, les haricots. Et ça repart : la viande, le sucre, Olida… Beaucoup apportent leur tricot et tricotent tout en faisant la queue. J'ai souvent envie de leur attacher les mains, de leur transpercer la langue avec une aiguille et de les abandonner là. [...]

11 septembre 1941

La dernière mode, à Paris, c'est de tirer sur les soldats et les officiers allemands. Plusieurs ont été exécutés le 6 et hier, le 10. Et maintenant les Allemands vont fusiller des otages. Les communistes sauvent ainsi l'honneur des Français qui après la guerre diront : «C'était nous.» [...]

30 septembre 1941

Sur un banc du boulevard Arago, je discute avec un vieux mécanicien, «Tonton». Galant, ivrogne querelleur qui m'a apporté un kilo de pain ; en échange, je lui donne un peu de tabac. C'est comme ça qu'on se débrouille.

Le soleil de l'après-midi disparaît derrière la place Denfert-Rochereau, il fait chaud, des reflets dorés. Nous parlons de la guerre. «Tonton» a été dans le Caucase et au Turkestan. Nous parlons de l'avenir. «Vous savez, dit le vieux "Tonton", après cette guerre, il faudra que toute cette compagnie d'Europe pense à s'unir au lieu de rester chacun dans son coin. Sinon, toute l'Europe redeviendra un vrai bordel.» Concis et raisonnable. «Après cette guerre…» Quand ? Mieux vaut se dorer au soleil et ne pas penser.

13 novembre 1941

Weygand, interrogé sur la guerre en Russie lors d'un thé chez Pétain, aurait répondu : «Pour moi, l'essentiel c'est qu'ils battent les Boches.» Un

collaborateur était présent, le ministre Scapini [chargé des prisonniers de guerre]. Pétain l'a appelé et lui a fait donner sa parole d'honneur qu'il ne le répéterait pas. Apparemment, Scapini n'a pas tenu sa parole puisque tout le monde le raconte. Une rumeur parmi d'autres.

Comme les Allemands s'acharnent à brouiller Londres sur ondes courtes et sur ondes moyennes, Londres émet maintenant sur les grandes ondes : 1 500 m. Comme il est interdit d'écouter la radio anglaise, on entend le même dialogue dix fois par jour :

– *Avez-vous essayé d'écouter Londres sur 1 500 ?*

– *Oui, ça va épatamment bien…*

Maintenant, tout le monde écoute Londres. Même ceux qui auparavant ne l'écoutaient pas parce qu'ils croyaient les sornettes grossières de Radio-Paris. La collaboration a perdu sa popularité.

Invité par hasard à une réception mondaine, chose dont il avait perdu l'habitude, il découvre le Paris des salons et des petits fours.

20 mars 1942

[...] Le mari de l'avocate, qui parle l'allemand, plaide toutes les causes jugées par les tribunaux militaires allemands. Il défend des gens de toute façon condamnés à mort, ce qui ne les empêche pas, sa femme et lui, d'avoir beaucoup de respect pour les Allemands et de les admirer à tous points de vue.

L'admiration et le respect pour les Allemands sont très répandus dans les sphères de la grande et de la moyenne bourgeoisies françaises parce que c'est à elles qu'on a fait le plus facilement croire à l'imminence du «péril rouge» et à la mission de l'Allemagne en tant que défenseur de l'«Europe nouvelle», et aussi parce que l'Allemagne a été en quelque sorte pour elles une surprise sur le plan intellectuel. Vivant jusque-là dans la contemplation admirative, bien française de leur nombril (et de ce qui se situe en dessous), avec une étroitesse d'esprit qui empêchait leurs idées (parfois d'un bon niveau) d'évoluer en raison de leurs traditions de grandeur et de perfection, et de la conviction que seul est bien ce qui est français (avec peut-être une petite exception, très snob, pour ce qui vient d'Angleterre), *voilà qu'ils découvrent brusquement l'Allemagne*. Le gouvernement Pétain leur garantit la continuité et les entretient dans la conviction que la France existe encore. L'occupation a doublé leurs possibilités de gagner de l'argent; ils se laissent prendre par les flatteries des Allemands qui les attirent dans leur camp. Grâce à leur argent, ils ressentent moins les effets de la pénurie alimentaire que les classes plus défavorisées. Cet aspect de l'occupation, qui est pour l'instant l'aspect le plus douloureux, ne les touche pas. Parallèlement, les Allemands leur présentent la *deutsche Kultur* par le biais de la littérature en publiant sans arrêt de nouvelles traductions, en leur offrant des spectacles de l'opéra de Berlin, des conférences de célébrités scientifiques, etc. Toute cette culture, jusque-là inconnue, présentée habilement et avec goût, avec une logique que seuls savent avoir la perfidie et le mensonge, toute cette culture trouve un terrain favorable. On perçoit les Allemands d'un point de vue *intellectuel*; les conceptions socio-économiques originales du national-socialisme sont pour les Français comme une bouffée d'air frais et suscitent leur enthousiasme. Le snobisme veut que l'on parle de ses propres défauts et de sa propre incurie en comparant tout à ce qui se fait *là-bas*. La mode est au complexe d'infériorité, jusqu'à en dég… dans son assiette. [...]

4 août 1942

La rafle des juifs étrangers dans Paris intra-muros est terminée. Du 14 au 15 juillet [les 16 et 17, NdA], on a organisé une nuit de la Saint-Barthélemy, ou plutôt de la Saint-Adolphe, et depuis on a pris ceux qui restaient. A l'heure actuelle, tous les juifs étrangers en zone occupée sont internés dans des camps. Très vive émotion parmi les Français. Ils commentent en particulier avec fureur le fait que les enfants de plus de trois ans aient été séparés de leur mère. Je ne peux que le noter. Je n'ai pas le courage de faire de commentaires. En moi tout hurle et tout se déchire. Dans le même temps, le bruit a couru, très probablement répandu par les milieux juifs, que ça allait être notre tour, et tout le monde y a cru. Paris était en pleine effervescence. Les plus peureux sont partis à la campagne, d'autres n'ont pas couché chez eux plusieurs nuits de suite. Maintenant, tout le monde est persuadé que tôt ou tard, ils vont nous emmener, nous aussi.

Plus par devoir que par envie, je suis devenu fataliste, et comme toujours dans ces moments-là, je me rappelle cette phrase de Keyserling : «Il faut subir son époque pour agir sur elle.» J'ai essayé d'obtenir des informations plus précises, mais aucun des Français susceptibles de m'en donner n'a rien pu me dire. C'est vraisemblablement une rumeur, compréhensible, que les juifs ont lancée par désespoir. Pourquoi nous aimeraient-ils ? Un jour de 1940, je faisais la queue avec un ami et nous parlions polonais. Une juive à côté de nous nous a jeté un regard de haine et nous a dit : «N'est-ce pas qu'on est bien, *chez nous*, en France ? La Pologne, monsieur, elle va disparaître.» Je n'avais pas réagi bien que je sois habituellement plutôt grande gueule. Peut-être avait-elle raison. Mais la France non plus ne l'aura pas aidée.

Paris se libère... Enfin tel n'est pas exactement le sentiment de Bobkowski, dont le récit tranche quelque peu avec la plupart des témoignages connus.

22 août 1944

Depuis ce matin, on entend les canons. En ville, les fusillades ont repris. Cette fois, ils sont sûrs que les Américains vont entrer dans Paris d'une heure à l'autre ; ils se sont donc remis à canarder. Paris «se bat». Cet après-midi, je vais chez G. Partout, dans toutes les rues, les gens se tiennent devant chez eux. Un climat de révolution. Personne ne travaille. C'est seulement maintenant qu'on voit le fameux peuple de Paris. Maintenant ils sont tous là. Sur notre boulevard, c'est encore supportable, mais dans les rues et les ruelles avoisinantes, la foule est reine. Bien entendu, l'humeur est combative et dominatrice. Sur les murs, on colle sans arrêt de nouvelles affiches que les gens vont lire avec recueillement en prenant une attitude pleine de dignité et d'assurance. Après quoi, ils font des

remarques d'une logique et d'une intelligence inouïes. Les mots «c'est logique, c'est très intelligent, c'est juste» sont prononcés d'un ton approbateur et plein d'onction. On pourrait imprimer n'importe quoi, écrire les idioties les plus monstrueuses, ils avaleraient tout avec une gravité rituelle et un froncement de sourcils intelligent en se grattant solennellement le postérieur. Dans la rue, les vendeurs de journaux arrivent en trombe sur leurs vélos. On fait cercle autour d'eux et on s'arrache tous les journaux libres. Bien sûr, *L'Humanité* est le premier à paraître. Ce journal réclame le droit de rentrer pour le déserteur Thorez. *C'est logique.* A part ça, des promesses d'augmentation de salaires de 40% et la semaine de 40 heures. L'assemblée hoche la tête pour approuver. *C'est logique.* Qu'on leur promette le paradis, ils y croiront. Toute la force d'attraction du communisme tient dans cette promesse et dans le fait de ne pas la tenir. On accroche habilement un saucisson au bout d'une ficelle et on le tire de plus en plus haut lorsque les masses sont prêtes à l'attraper. Il ne s'agit pas qu'elles l'attrapent, mais qu'elles sautent de plus en plus haut et de mieux en mieux, comme le veulent l'Etat et le parti tout-puissants. De temps en temps, ils leur laissent lécher le saucisson en disant : «Vous voyez comme il est bon... Sautez encore un peu et vous pourrez y goûter !» Et c'est ainsi que, de génération en génération, on continue à mourir en conservant la foi et en la transmettant à ses descendants. Le principal, c'est la foi.

Les citoyens lisent les élucubrations de ces magiciens sociaux, après quoi ils tiennent conseil au café devant un verre de vin. Les manchettes des journaux : *Paris conquiert sa liberté par les armes, Paris se libère lui-même.* Et toute la

Barricades à la libération de Paris; sur la pancarte, Hitler… ou Laval.

France se libère d'elle-même; c'est tout juste si c'est avec l'aide modeste des Alliés. Dans une semaine, on ne parlera plus du tout des Américains ni des Anglais. Le coq! Il est difficile de trouver meilleur symbole. Toute cette assemblée, qui cause sous les porches et dans les cafés, bat des ailes et pousse des cocoricos, dresse la crête… et attend les conserves et le chocolat américains! Mais dès qu'on entend le bruit lointain d'une motocyclette allemande, la rue se vide en l'espace de trois secondes, les portes se ferment et on se bagarre près du trou de la serrure pour voir. Paris «se bat».

Ce soir écrit qu'à quinze heures, les assauts allemands contre l'Hôtel de Ville et la Préfecture de police ont été repoussés, bien que les Allemands aient utilisé des tanks; Paris «se hérisse de barricades»; place de la République et boulevard de Bonne-Nouvelle, on se bat «en utilisant l'artillerie légère». Cocoricoooo! Moi, à quatre heures, je suis place Voltaire, donc à un kilomètre de la République, et je vois la foule bondir brusquement sous les porches. Des Allemands passent, ils lancent à tout hasard deux grenades qui éclatent avec un tel raffut que, trois minutes après l'explosion, personne n'ose pointer le nez dehors.

En fin d'après-midi, nous allons nous promener. Sous les porches, allez savoir d'où ils sortent, on vend de la salade et des radis. Nous en achetons par précaution. Nous nous réfugions un moment dans une boulangerie parce qu'une motocyclette allemande passe dans la rue en tirant dans toutes les directions. Les Allemands ont aussi peur que les autres. Tout le monde a peur.

Selon les communiqués de ce soir, de violents combats se sont déroulés à Varsovie. Ils ont pris le central téléphonique avec des lance-flammes récupérés sur les Allemands. Par ailleurs, ils fabriquent eux-mêmes des lance-mines et des obus, et se sont lancés dans la fabrication de véhicules blindés. Il y en a déjà un en service et le blindage a tenu. On devrait transporter toute la Pologne en Amérique : dans cinquante ans, l'Amérique serait… polonaise. Et grande. C'est dans ce contexte que «Paris se bat». Et toi, monde, pisse d'admiration pour *la France éternellement héroïque et insoumise*!

Les Allemands déplacent leurs troupes d'Italie dans le Midi de la France. Sans doute un nouveau plan intuitif du caporal… Une nuit étouffante. Dans la rue, deux coups de feu (littéralement : deux) ont retenti. C'est Paris qui se bat. Paris conquiert sa liberté par les armes. Koenig a été nommé commandant militaire de Paris. Cocoricoooo!

Andrzej Bobkowski,
En guerre et en paix, Journal 1940-1944

Un ingénieur chez Renault

Dès l'été 1940, les usines Renault sont sous contrôle allemand. L'ingénieur Fernand Picard, qui travaille à Issy-les-Moulineaux, note dans son journal (en partie inédit) les vicissitudes de son entreprise, dont une grande part de la production est destinée à l'économie de guerre du Reich. Non sans risques : pour éviter d'être surpris par les Allemands qu'il côtoie tous les jours, il a dissimulé ces pages dans un bocal à cornichons. Elles n'en sortiront qu'en août 1944.

Mardi 2 juillet 1940

Nous avons pris contact avec M. de Peyrecave [le directeur général]. Très peu de gens sont rentrés aux usines Renault. [...]

En attendant que les autorités allemandes nous autorisent à rentrer à Issy, nous nous installons dans un salon et des bureaux des usines. Nous n'avons rien à faire qu'à attendre que des solutions soient apportées aux questions que M. de Peyrecave va poser à Wiesbaden [à la commission d'armistice], au sujet de l'activité industrielle française.

La vie est totalement arrêtée. Les rues sont vides. Sur les boulevards on ne voit que des soldats allemands qui passent en chantant.

Mercredi 3 juillet 1940

Nous avons trouvé ce matin en arrivant dans le hall de la direction trois soldats allemands qui s'y étaient installés pour y passer la nuit. Leurs casques et fusils sur la table à côté des notices et de la lettre de félicitation adressée en 1918 par le maréchal Pétain à la direction et au personnel des usines Renault pour la part prise dans la victoire par les chars. A dater de ce jour un piquet de garde vivra dans l'usine, assurant conjointement avec nos gardiens la surveillance des ateliers et du matériel... Il nous faudra entendre résonner sur le macadam leurs bottes lourdes, les croiser partout...

Trois commissaires de l'industrie allemande, hauts personnages des usines Mercedes, sont installés dans l'usine, et en assurent la gestion. Rien ne doit être entrepris sans leur approbation. Rien ne doit sortir sans leur visa. Nos gardiens sont sous leurs ordres. Le chef est l'ancien représentant à Paris de Daimler-

Benz. Il parle un français impeccable, et est d'une correction parfaite.

Toute la journée des voitures de l'armée allemande vont et viennent dans la cour principale. Voitures de tourisme, d'officiers qui viennent en mission auprès des commissaires. Camions venant chercher des pièces détachées au magasin des pièces de rechange.

M. de Peyrecave nous a quittés aujourd'hui pour Wiesbaden où doivent commencer bientôt les travaux de la commission d'armistice.

Nous avons installé à l'école maternelle de la place Voltaire à Issy le service du personnel Caudron, et le lamentable défilé de tous nos ouvriers et ouvrières qui étaient restés sur place a commencé en quête d'accomptes. Beaucoup qui s'étaient repliés à pied ou à bicyclettes ont été rejoints par les troupes allemandes et après de nombreuses difficultés, rapatriés...

Une des péniches qui évacuait notre matériel a été coulée sur ordre des autorités militaires françaises près de Nemours. Elle contenait trente-deux machines-outils neuves récemment arrivées des U.S.A. Le marinier l'a renflouée trois jours plus tard. Une autre péniche a été incendiée sur la Seine près de Melun par suite de la destruction de deux péniches citernes qui emportaient de l'essence...

Les usines des huiles Renault sur le quai d'Issy ont été détruites le jeudi 13 juin par le génie français pour détruire les stocks d'huile de graissage qui y étaient entreposés... Il ne reste plus que des carcasses tordues et des ruines. [...]

9 octobre 1940

La guerre aérienne continue, implacable, terrible pour toutes les richesses de notre vieille Europe, malgré le mauvais temps de ce début d'automne. Des deux côtés on annonce des destructions de musées, d'hôpitaux, de vieilles maisons que des siècles d'histoire rendaient vénérables. D'autre part la radio annonce d'importants mouvements de troupes en Roumanie où les Allemands s'installent. La Turquie s'inquiète, confère avec Moscou et avec Londres.

A l'usine c'est le calme. Nous avons entrepris l'étude de véhicules pour l'après-guerre : une petite voiture 4 CV à moteur arrière. Un autocar léger avec moteur arrière. Des tracteurs agricoles. C'est vraiment pour moi un réconfort moral de penser que je puis me consacrer de toutes mes forces au travail sans qu'une seule seconde de mon activité serve aux troupes d'occupation. J'ai repris goût à ma tâche. J'y trouve un dérivatif puissant à toutes nos souffrances présentes.

10 octobre 1940

D'après le témoignage d'A., chef des achats des usines Renault, la vénalité s'étend à tous les échelons et dans tous les services de l'armée allemande. Il m'a cité des cas précis, qu'il a vécus. Pour faire libérer un prisonnier c'est cinq mille francs. On a, quand on frappe à la bonne porte, de l'essence autant qu'on veut pour six francs le litre... Jamais de tels trafics n'ont déshonoré l'armée française avec une telle ampleur. Et on nous a vanté pendant des années l'intégrité et la vertu des régimes fascistes et hitlériens ! [...]

12 octobre 1940

Les journaux de ce matin publient le communiqué ci-joint : «Dernièrement, on a pu entendre, dans diverses salles de cinéma parisiennes, des applaudissements au cours de la projection des actualités. Ces manifestations doivent être considérées comme des provocations à l'égard des troupes d'occupation. Si de telles manifestations devaient se reproduire, ne fût-ce que dans un cas isolé, cela aurait pour conséquence la fermeture de tous les cinémas parisiens», à la suite d'applaudissements par la foule parisienne de la projection dans les films d'actualités des dégâts causés par la R.A.F. en Allemagne.

Au moins, les autorités occupantes ne se font plus d'illusions sur les sentiments de la majorité des Français à leur égard. Elles commencent à se rendre compte que nous sommes toujours un peuple fier, pas encore mûr pour l'obéissance et la servitude ; que la propagande du Dr Goebbels, ses affiches «Populations abandonnées», «Souvenez-vous d'Oran», «C'est l'Anglais qui nous a fait ça» n'ont pas modifié l'opinion des peuples ; que pour la plupart d'entre nous ce n'est pas l'Anglais qui est l'ennemi, mais le soldat gris-vert qui, après avoir démoli nos villes ravage nos greniers et nos magasins. Et ce n'est que le début de la résistance !! [...]

C'est l'Anglais qui nous a fait ça!

usines qui touchent le chômage et errent dans les rues en proie à toutes les angoisses, toutes les propagandes, tous les découragements...

Jusqu'où irons-nous dans la sottise et l'incohérence ? [...]

29 janvier 1941

Les difficultés à l'usine ne cessent de s'accroître, dans tous les domaines. Financièrement la situation est toujours la même, les Allemands doivent toujours deux cent millions, qu'ils ne parlent toujours pas de payer, sur les camions qui leur ont été livrés. Par suite du manque de pneumatiques ils ne prennent toujours pas livraison des camions qui sortent maintenant. Ce soir mille huit cents camions, sur chandelles de bois, encombrent les rues intérieures de l'usine, les quais de la Seine et les espaces disponibles... Pourquoi ne payent-ils pas ? D'après M. de Peyrecave, leur compte à la Banque de France est créditeur de trente-six milliards de

17 octobre 1940

Nos difficultés industrielles s'aggravent sans cesse. Tous les chefs de département sont gênés par le manque de main-d'œuvre et de matière première. Les contrôleurs allemands répondent : «Interdiction d'embaucher du personnel. Réduisez votre programme.» M. Renault ajoute : «D'accord pour ne pas embaucher, mais je maintiens le programme. Débrouillez-vous.»

Aussi la température monte-t-elle. [...]

Les clients réclament des pièces de rechange. Les camions s'arrêtent...

Et il y a dix-huit mille ouvriers des

francs. Qu'attendent-ils? Que notre trésorerie soit totalement épuisée? Que le franc baisse un peu plus?

Au point de vue des approvisionnements la situation n'est guère plus réjouissante; il n'est plus question que de réglementation et de produits de remplacement. J'ai passé ces derniers jours à étudier les aciers de substitution aux aciers Nickel-Chrome. Le défaut de Nickel commence à se faire cruellement sentir. Malgré son activité réduite, l'usine consommera ce mois-ci deux mille six cents tonnes d'acier. Sur ce tonnage les aciers au nickel-chrome représentent un tonnage de sept cent vingt tonnes, ce qui exige dix-neuf tonnes de nickel. Nous avons pris des décisions héroïques, et réduit de 50% le pourcentage de nickel dans l'acier, en attendant de le supprimer totalement. Attendons les conséquences.

Pour l'amiante, le mica, le cuivre, l'étain, le coton, même chanson... les électriciens se prennent la tête dans les mains. [...]

R. me rapporte aujourd'hui que le commandant L., qui s'occupait des fabrications de chars à l'usine avant juin, continue ses études techniques. Il a demandé à l'usine de lui livrer les moteurs six et douze cylindres, trois cent chevaux, étudiés début 1940. D'après lui, nous allons assister cette année-ci à une paix de compromis, que suivra une nouvelle course aux armements, puis dans un délai de quatre à cinq ans une nouvelle guerre... Il ne veut pas cette fois-ci être en retard...

Radio-Londres donne des détails sur la prise de Tobrouk, base principale de l'Italie en Cyrénaïque – où les troupes australiennes ont fait vingt mille prisonniers et conquis un matériel de guerre considérable. [...]

8 février 1942

[...] A l'usine, les difficultés se sont singulièrement accrues au cours de la dernière quinzaine. De tous les côtés on voit surgir de nouveaux problèmes, et on se demande de plus en plus si nous parviendrons à les résoudre. Une nouvelle réquisition de cent cinquante tonnes de lingots de cuivre aggrave d'un seul coup la question des métaux non ferreux. Le stock n'est plus que de trois mois encore à moins que de nouvelles réquisitions ne l'amenuisent. Mais de tous les problèmes, c'est celui des aciers spéciaux qui maintenant est le plus sérieux. Depuis quinze jours l'aciérie de Saint-Michel de Maurienne est arrêtée par défaut de courant électrique. On n'envisage de la remettre en route que

ECONOMIES
· DE ·
MATIERES
PRODUITS
· DE ·
REMPLACEMENT

EXPOSITION

ORGANISEE PAR
LE COMMISSARIAT
GENERAL
AUX ECONOMIES
DE MATIERES

sur une production de cinq cents tonnes par mois alors que l'usine en consomme mille deux cents... Et l'on vient sur le papier d'augmenter le programme de dix camions 3 tonnes par jour! Combien de jours encore les stocks permettront-ils de tourner? Dans la course d'obstacles que nous courons depuis dix-huit mois, nous n'avons encore franchi que des petites haies; voici que de plus sérieuses apparaissent. Et le parcours est encore long, très long. Ce n'est pas le moment de licencier du personnel pour que les usines allemandes s'en saisissent aussitôt.

Plus que jamais nous sommes pris dans l'engrenage infernal. Si nous voulons continuer à tourner pour éviter la désorganisation totale et la décomposition de l'usine, et garder en main les éléments d'une reprise rapide à la fin des hostilités,

il nous faut aider l'ennemi, accepter ses commandes. Mais il nous faut aussi essayer de conserver les stocks minima qui nous permettront de démarrer les fabrications de la paix. Or, nous ne pouvons pas concilier les deux points de vue : garder le personnel et la matière première. Comment sortir de ce douloureux dilemme?

3 mars 1943

Le commissaire [allemand] à l'usine nous demande aujourd'hui de faire passer en priorité sur toutes les autres fabrications la transformation pour la marche au gazogène à bois de vingt mille véhicules de tous types, essence et diesel, en service dans l'armée allemande.

Le bombardement de Boulogne-Billancourt en avril 1943

D e jeunes Français du «service encadré du travail» (extrait d'un album offert à Pétain).

La pénurie d'essence s'aggrave. La perte des champs pétrolifères de Maïkop, l'éloignement de ceux de Groznyï enlèvent au Reich toute perspective d'amélioration prochaine de la situation. L'emploi du bois qui depuis un an constituait une solution partielle, doit maintenant être généralisé à tous les transports de l'arrière. Ce n'est pas ce qui fournira une grande souplesse à cette activité vitale pour une armée en cours d'opération.

Depuis quelques jours il semble qu'un revirement s'opère dans l'attitude des services industriels de l'armée allemande vis-à vis de l'usine. Alors qu'il y a un mois, lors du passage de la commission de réquisitions de main-d'œuvre, notre activité ne paraissait plus les intéresser, maintenant des priorités de fabrication pleuvent de tous côtés. Priorité aux pièces détachées de char d'assaut. Priorité aux moteurs destinés à l'équipement des bateaux d'assaut. Priorité aux groupes marins de 130 Watts. Priorité aux transformations des moteurs pour marche au gazogène. Seulement il ne suffit pas de donner des priorités pour faire sortir le matériel. La main-d'œuvre manque. La production ne cesse de descendre. L'action Sauckel a tout désorganisé, tout démoli. Elle a tué la poule aux œufs d'or...

A quoi correspond ce revirement ? Est-il la conséquence de l'offensive continue de la R.A.F. sur les grands centres industriels allemands ? L'État-Major s'effraie-t-il de voir diminuer catastrophiquement sa production au moment même où ses besoins en matériel deviennent plus pressants ?

L'heure est venue pour nous de ne rien faire pour accroître la production sans exiger le retour des ouvriers déportés, ou la libération des prisonniers.

24 mars 1943

Lu une longue lettre d'un des jeunes dessinateurs de l'usine déporté à Stuttgart [au titre du STO]. Il se plaint amèrement de ce que les promesses qui ont été faites avant le départ par le représentant allemand ne sont pas respectées, ni au point de vue du logement, ni au point de vue du travail. Il paraît fort désabusé.

Rations actuelles à Stuttgart – par semaine : 350 g de viande (saucisson et andouille). 500 g de pain blanc. 125 g de beurre. 80 g de margarine. 225 g de sucre. 175 g de confiture. 125 g de fromage. 2 œufs. 2 kg de pommes de terre – par jour : 250 g de pain noir.

Le salaire des jeunes dessinateurs est de 220 marks par mois, ce qui à priori lui paraît peu étant donné les prélèvements faits sur le salaire, et le coût de la vie.

Je ne suis pas mécontent de la lecture de cette lettre. Ces jeunes gens, partis sans regret et sans aucune vélléité de résistance, comprendront peut-être bientôt qu'ils ont fait un marché de dupes, et qu'ils ne sont que des esclaves.

Fernand Picard,
Journal clandestin

Un collaborateur du rang

Les partisans extrêmes de la collaboration ne ressemblent pas aux intellectuels parisiens, les Drieu et Brasillach, mais plutôt à Daniel V., engagé dans la L.V.F., puis la Waffen SS pour échapper au S.T.O. et par goût de l'aventure. Ses lettres, toutes ponctuées d'un «Heil Hitler», reflètent le ressentiment qui anime la plupart de ces déclassés sociaux, envoyés sur le front de l'Est mourir pour le Reich... et pour Dantzig.

Watenstedt, le 31 mai 1942

[...] Je regarde l'avenir avec confiance, car au contact d'hommes neufs comme les Allemands on devient un autre soi-même. Ils ont une mentalité qui réellement est merveilleuse, ils ne traitent pas l'individu comme une machine mais comme un Homme et chaque Homme est responsable de son travail, s'il fait une bêtise, il est puni, sévèrement même, mais quand il a payé sa dette on ne le met pas au rebut comme on fait en France, il reprend sa place dans la société comme par le passé; voilà ce qui s'appelle du progrès social.

Ici, en Allemagne tout se fait pour le social; nous avons un bel exemple à prendre, nous Français, et j'espère que notre gouvernement travaille pour faire une France socialiste, telle que l'Allemagne nationale socialiste. Je voudrais voir les Toulousains un peu ici: ils tomberaient de bien haut, s'ils voyaient de leurs propres yeux ce qu'est le gouvernement allemand et l'Allemand lui-même.

C'est un gouvernement à poigne qui est secondé par des hommes disciplinés, voilà la vraie force. Tu me dis que les Toulousains ne sont pas contents, je m'en doute, la défunte vieille troisième République avait assez pourri de bien-être, ces messieurs qui étaient socialistes, anarchistes et communistes, ils se gavaient comme des cochons à l'engrais et maintenant ils se plaignent. [...]

Watenstedt, le 7 juin 1942

[...] Nous avons 500 g de pain, 75 g de beurre et 125 g de charcuterie par jour, de la viande 100 g, 5 ou 4 fois par semaine plus 2 paquets de cigarettes ou de tabac par semaine également... [...]

FRANÇAIS

DE 20 A 40 ANS FAITES VOTRE DEVOIR !

Entrez dans les rangs de la

LÉGION DES VOLONTAIRES FRANÇAIS CONTRE LE BOLCHEVISME

POUR TOUS RENSEIGNEMENTS :

Heerte, le 29 janvier 1943

[...] Tu sais que je ne suis pas mauvais, ni rancunier, mais je ne puis te dire qu'une chose, je hais mes semblables, surtout les femmes et en particulier les Français et Françaises qui sont fourbes, hypocrites et égoïstes. De l'Allemagne j'ai fait ma deuxième patrie... Je travaille dur pour la victoire du Reich allemand et je souhaite que tous les Français en fassent autant; pour mon compte personnel, je me charge là où je suis de faire travailler de force, s'ils ne veulent pas le faire de bonne volonté, cette canaille de Français [...].

Heerte, le 22 février 1943

[...] D'ailleurs je fais un travail qui a fait mettre ma peau à prix, je traque les fainéants et les vauriens qui sont venus ici pour se promener, ils ont juré d'avoir ma peau en France, s'ils réussissent; aucune importance car j'ai fait don de ma carcasse pour la victoire de l'Allemagne et si je dois me faire trouer la peau, je voudrais d'abord voir la victoire du troisième Reich et voir la Russie et la perfide Albion à feu et à sang. [...]

Heerte, le 1er mars 1943

[...] Pour moi, personnellement, je sais que l'Allemagne sortira vainqueur du grand conflit qu'elle a engagé et je regrette profondément que tous les Français et Françaises ne fassent pas leur devoir. Il y en a qui croient que ceux qui travaillent ou servent l'Allemagne sont des traîtres ou des vendus et eux se prétendent de purs Français, seulement ils oublient qu'un grand homme, un vieillard couvert de gloire leur a dit : «Ayez confiance en moi, groupez-vous derrière moi pour le relèvement de la France», le maréchal Pétain et le président Laval, un homme juste.

Il faut collaborer à fond, il faudrait même faire une alliance avec le peuple allemand. Nous Français, nous avons un passé héroïque et pour avoir droit à la place qui nous revient dans la nouvelle Europe, il nous faut tous sans distinction de classe ou de rang, faire notre devoir.

Il nous faut aider le peuple allemand et par tous nos moyens écraser cette Russie bolcheviste qui ne songe qu'à semer la haine, la misère et la mort partout, et cette perfide Albion qui s'est toujours servie du sang français pour remplir les coffres forts de la City. Moi-même je haïssais les Allemands parce que je ne les connaissais pas. Maintenant que je les connais, je dis que ce sont des hommes dignes de notre amitié et auxquels nous pouvons avoir confiance. Après la victoire, ils nous donneront ce qu'ils nous ont promis... Il faut que je parte en chasse contre les salopards et les fainéants qui sont ici légions. Je t'assure que c'est une honte pour nous Français de voir de tels spécimens. [...]

«Correspondance d'un L.V.F. et SS français»

Ces résistants
qui vont mourir

Ils sont trois, parmi tant d'autres, aux origines si diverses, à avoir été exécutés par les Allemands : le lieutenant de vaisseau d'Estienne d'Orves envoyé par la France libre, fusillé le 29 août 1941 au mont Valérien ; Joseph Delobel, membre des Jeunesses communistes, fusillé à Arras en juillet 1942 ; Boris Vildé, jeune ethnologue d'origine russe, fondateur d'un des premiers groupes connu sous le nom de «réseau du Musée de l'Homme», fusillé avec six de ses camarades au mont Valérien le 23 février 1942.

Honoré d'Estienne d'Orves, Fresnes, été 1942

Dans la note liminaire à ses «Cahiers de captivité», il attend une grâce improbable.

[...] Si je dois mourir, sachez que c'est dans une pleine confiance en Dieu qui me donne abondamment sa grâce. La pensée de mes chers parents qui m'attendent là-haut m'est d'un grand réconfort.

Je ne puis préjuger de l'avenir, et affirmer dès maintenant si, dans mon action, j'ai eu raison ou tort. Mais, j'affirme solennellement que je n'ai agi que pour la France et la France seule. Je n'ai en vue que la libération de notre patrie. Je crois avoir suivi la tradition de fidélité de notre famille, et me suis inspiré de l'exemple de nos grands-pères d'Autichamp et Suzannet, qui ont sacrifié, l'un sa liberté, l'autre sa vie, par fidélité à leur roi.

J'affirme également que je suis venu en France de ma propre volonté. Le général, l'amiral et les autorités avec qui j'étais en liaison ont fait tout ce qu'ils ont pu pour me dissuader de ce projet. Je l'ai réalisé quand même car je voulais apporter en France occupée le salut des Français du dehors.

Je n'aurais jamais accepté de faire quoi que ce fût qui ne fût exactement conforme aux intérêts de la France. On ne m'aurait, et on ne m'a jamais rien demandé de tel.

Je n'ai jamais fait de politique autre

[manuscrit :] l'enfer. Je ne désire que la paix dans la grandeur retrouvée de la France.

Lili, bien à tous que je meurs pour elle, pour sa liberté entière, et que j'espère que mon sacrifice lui servira.

Je vous embrasse tous avec mon infinie tendresse

honoré

que celle qui tendait à la libération intégrale de mon pays. Comme mes camarades, j'ai toujours respecté le maréchal et tenu à maintenir l'intégralité de l'Empire français. Je ne me suis jamais occupé de la politique intérieure du gouvernement français.

Je crois mériter l'honneur que l'on inscrive sur ma tombe, à côté de mon nom : «Mort pour la France». Je n'éprouve bien entendu aucune amertume vis-à-vis de ceux qui n'ont pas donné à leur action la même direction que moi, les circonstances n'ont pas été pour eux les mêmes que pour moi, et je suis sûr qu'ils n'ont eu comme moi qu'un but : la grandeur de la France.

N'ayez à cause de moi de haine pour personne, chacun a fait son devoir, pour sa propre patrie. Apprenez au contraire à connaître et à comprendre mieux le caractère des peuples voisins de la France.

Honoré d'Estienne d'Orves
Cahiers de captivité

Joseph Delobel, Arras, 16 juillet 1942

A ma famille, à notre grand Parti, et aux Jeunesses Communistes,
Ce n'est pas sans peine que je vous écris ces dernières lignes au nom de tous mes camarades victimes de la barbarie des teutons.

Nous avons tous été arrêtés fin avril, début mai. Dans les quinze premiers jours, nous avons subi interrogatoires sur interrogatoires, accompagnés chaque fois de «passages à tabac» tels qu'ils se pratiquaient il y a cent ans. A chaque interrogatoire, on était certain de recevoir sa ration de coups de bâton avec un clou au bout, de coups de cravache et de matraque, sans oublier le passage dans l'obscurité à la cave ; pendant que l'une de ces brutes nous lançait des

rayons de sa lampe électrique, les autres, à deux ou trois, nous battaient.

Il fallait dire la vérité suivant le désir des bourreaux, dénoncer les camarades, autrement c'était la grêle de coups qui tombait. Je vous citerai une réflexion telle qu'elle m'a été faite. «Si vous ne dites pas la vérité, on vous passera les pieds au feu, on vous tuera aux trois quarts et vous serez conduit au poteau d'exécution». Après cela, on me répéta plusieurs fois : «Ton compte est bon».

Notre grand camarade Humblot Ignace est mort en cellule, sans soins, la colonne vertébrale brisée par des coups reçus parce qu'il ne voulait pas dénoncer ses camarades. N'oubliez jamais ce nom d'un brave.

C'était lamentable de se voir, par les fenêtres ou à la promenade, les yeux pochés, la figure et les membres meurtris.

Ces barbares vous font croire que vous avez une chance de sauver votre tête. Ils vous disent que l'un a dit ceci, que l'autre a dit cela, pour faire avouer les pauvres diables qui n'ont pas le cran de résister.

Après ces interrogatoires pénibles, nous avons été deux mois à peu près tranquilles où nous n'avions plus qu'à nous laisser vivre et attendre toutes les deux semaines le bon colis de la famille. Inutile de parler des deux gamelles de flotte et des deux cents grammes de pain par jour.

Aussi nous attendions en sachant à l'avance ce qui nous arriverait, et le mardi 7 juillet à vingt heures, on nous prévient que nous passons le mercredi 8 juillet au tribunal. Nous n'en sommes pas trop surpris ; il fallait que cela arrive. Le matin à huit heures, nous sommes vingt-six camarades réunis à la rotonde, le vingt-septième devait nous rejoindre, venant de l'hôpital. Gardés par une vingtaine de soldats, nous sommes arrivés au tribunal qui fut plutôt un théâtre où s'est jouée l'ignoble comédie. A neuf heures commençait la séance qui devait être tragique; nous étions vingt-sept présents; ce furent d'abord les interrogatoires d'identité, puis les interrogatoires individuels, tout en allemand. L'interprète traduisait les questions et les réponses. De une heure trente à trois heures, il y eut interruption pour manger la gamelle dans une salle sur le côté, la surveillance fut on ne peut plus serrée, et pas moyen de causer entre soi. Pour aller à l'urinoir, nous avions deux gardiens et les menottes aux mains. Après les interrogatoires, le procureur prononça son réquisitoire en allemand. Nous n'y avons rien compris, mais ce que nous avons compris c'est l'interprète, quand il nous annonça que le procureur réclamait des condamnations à mort pour vingt-cinq d'entre nous, sur vingt-sept accusés. Je dois vous dire de tout mon cœur de communiste, que cet instant fut solennel; pas un d'entre nous n'a bougé, nous avons pris la chose avec le sourire, jetant de cette façon notre haine à la face de nos bourreaux. Un avocat déguisé en caporal allemand prit la défense des condamnés à mort; ce qu'il dit, nous n'en sûmes rien. Il y eut ensuite suspension de séance pour que le tribunal délibère, puis à la rentrée on nous donna lecture du réquisitoire, cette décision ayant été sans appel. Le tribunal avait réduit à vingt-deux le nombre des condamnés à mort. Naturellement, les actes d'accusations ont été lus en allemand, et nous n'en connaissons pas le contenu. Nous sommes sortis sans bruit, le sourire aux lèvres et le retour à Saint-Nicaise s'est effectué dans les mêmes conditions que le départ du matin, enchaînés en camion et sous bonne escorte.

Ce qui me rend heureux, c'est le cran, le courage montrés par tous les camarades communistes...

Mes chers camarades, soyez certains que nous avons fait notre devoir et que nous n'en éprouvons aucun regret. Nous avons été les bons soldats du Parti et de la France. Que cet exemple ne soit pas inutile, car il faut que la France vive et que notre grand Parti fasse sa place dans un régime meilleur où le peuple qui travaille doit imposer sa volonté.

Nous partons avec la consolation de voir qu'Hitler n'a pas pu faire son offensive et que les vaillantes Armées Rouges le tiennent en haleine, l'usant petit à petit.

Le triomphe est certain, le nazisme et le fascisme sont à la veille de mourir pour toujours.

Camarades, mes bons amis, je vous dis adieu, vous assurant qu'avec tous les frères de misère, nous irons au poteau d'exécution la tête haute, les poings serrés en disant de toute notre force : Vive le grand Parti Communiste! Vive la France!

Chers parents, j'ai la satisfaction de vous écrire ainsi qu'aux camarades, courage et adieu!

Lettres de fusillés

Boris Vildé, 23 février 1942, à sa femme

Ma bien-aimée, Irène chérie, Pardonnez-moi de vous avoir trompée : quand je suis redescendu pour vous embrasser encore une fois, je savais déjà que c'était pour aujourd'hui. Pour dire la vérité je suis fier de mon mensonge : vous avez pu constater que je ne tremblais pas et que je souriais comme d'habitude. Ainsi j'entre dans la vie en souriant, comme dans une nouvelle aventure, avec quelque regret mais sans remords ni peur. A vrai dire je suis déjà tellement engagé dans le chemin de la mort que le retour à la vie me paraît de toutes façons trop difficile, sinon impossible.

Ma chérie, pensez à moi comme à un vivant et non comme à un mort. Je vous ai donné tout ce que j'ai pu donner. Je suis sans crainte pour vous : un jour viendra où vous n'aurez plus besoin de moi ni de mes lettres ni de mon souvenir. Ce jour-là vous m'aurez rejoint dans l'éternité, dans le vrai amour. Jusqu'à ce jour ma présence spirituelle (la seule vraie) vous accompagnera partout.

Vous savez combien j'aime vos parents qui sont devenus mes parents. C'est à travers des Français comme eux que j'ai appris à connaître et à aimer la France, ma France. Que ma fin soit pour eux un orgueil plutôt qu'un chagrin.

J'aime beaucoup Eveline et je suis sûr qu'elle saura vivre et travailler pour faire une France nouvelle. Je pense fraternellement à toute la famille Mahn. Tâchez d'adoucir la nouvelle de ma mort à ma mère et à ma sœur ; j'ai pensé souvent à eux et à mon enfance. Dites à tous les amis mes remerciements et mon affection.

Il ne faut pas que notre mort soit un prétexte pour une haine contre l'Allemagne. J'avais agi pour la France, mais non contre les Allemands. Ils font leur devoir comme nous avons fait le nôtre. Qu'on rende justice à notre souvenir après la guerre, cela suffit. D'ailleurs nos camarades du Musée de l'Homme ne nous oublieront pas.

Ma chérie, j'admire beaucoup votre courage et j'emporte avec moi le souvenir de votre visage souriant. Tâchez de sourire lorsque vous recevrez cette lettre comme je souris moi-même en l'écrivant (je viens de me regarder dans la glace, j'y ai trouvé mon visage habituel). Il me vient à l'esprit le quatrain que j'ai composé il y a quatre semaines :

> Comme toujours impassible
> Et courageux (inutilement)
> Je servirai de cible
> Aux douze fusils allemands

En vérité je n'ai pas beaucoup de mérite à être courageux. La mort est pour moi la réalisation du Grand Amour, l'entrée dans la vraie Réalité. Sur la terre vous en représentiez pour moi une autre possibilité. Soyez-en fière.

Gardez comme dernier souvenir mon alliance : je l'embrasse avant de l'enlever. Il est beau de mourir complètement sain et lucide, en possession de toutes ses facultés spirituelles. Assurément c'est une fin à ma mesure qui vaut mieux que de tomber à l'improviste sur un champ de bataille ou de partir lentement rongé par une maladie.

Je crois que c'est tout ce que j'avais à dire. D'ailleurs bientôt il est temps. J'ai entrevu quelques-uns de mes camarades. Ils sont bien ; cela me fait plaisir.

Mon amour, zvierik chérie, une immense tendresse monte vers vous du fond de mon âme. Je vous sens tout près de moi. Je suis entouré de votre amour, de notre amour qui est plus fort que la mort. Ne regrettons pas le pauvre bonheur, c'est si peu de chose à côté de notre joie. Comme tout est clair ! L'éternel soleil de l'amour monte de l'abîme de la mort.

Ma bien-aimée, je suis prêt, j'y vais. Je vous quitte pour vous retrouver dans l'éternité.

Je bénis la vie qui m'a comblé de ses présents.

Toujours vôtre,
Boris

Boris Vildé,
Journal et lettres de prison (1941-1942)

CHRONOLOGIE

1939

23 août	Signature du Pacte germano-soviétique.
1er septembre	Le Reich envahit la Pologne.
3 septembre	L'Angleterre et la France sont en guerre avec l'Allemagne.
26 septembre	Dissolution du Parti communiste français.

1940

29 février	Instauration des cartes d'alimentation.
10 mai	Début de l'offensive allemande à l'Ouest.
13 mai	La Wehrmacht franchit la Meuse à Sedan.
10 juin	L'Italie déclare la guerre à la France; le gouvernement quitte Paris.
14 juin	La Wehrmacht entre dans Paris.
16 juin	Pétain, nommé président du Conseil, demande l'armistice.
18 juin	Premier discours à la BBC du général de Gaulle.
22 juin	Signature de l'armistice à Rethondes.
28 juin	De Gaulle reconnu par les Anglais chef des «Français libres».
29 juin	Le gouvernement s'installe à Vichy.
10 juillet	Les Chambres votent les pleins pouvoirs à Pétain, chef de l'«Etat français».
30 juillet	Création des Chantiers de jeunesse.
29 août	Création de la Légion française des combattants.
17 septembre	Renforcement des restrictions.
3 octobre	Premier Statut des juifs de Vichy.
24 octobre	Pétain rencontre Hitler à Montoire.
11 novembre	Manifestations d'étudiants à Paris et en zone occupée.
15 décembre	Premier numéro de *Résistance*, du groupe du Musée de l'Homme.

1941

14 mai	Première rafle de juifs étrangers à Paris.
15 mai	Création par le PCF du Front national.
22 juin	Le Reich envahit l'URSS.
14 août	Serment de fidélité imposé aux hauts-fonctionnaires. Attentat du colonel Fabien au métro Barbès.
22 août	Ordonnance allemande dite «des otages».
4 octobre	Promulgation de la Charte du Travail.
novembre	Fondation du mouvement «Combat».
7 décembre	Les Japonais attaquent Pearl Harbor, les Etats-Unis en guerre.

1942

2 janvier	Jean Moulin parachuté en France.
19 février	Ouverture du procès de Riom.
27 mars	Premier convoi de déportation de juifs.
18 avril	Laval rappelé au gouvernement.
29 mai	Ordonnance allemande sur l'étoile jaune en zone occupée.
16-17 juillet	Rafle du Vel-d'Hiv.
8-9 novembre	Débarquement allié en Afrique du Nord.
11 novembre	La Wehrmacht envahit la zone non occupée.

1943

30 janvier	Création de la Milice française par Vichy.
2 février	Capitulation allemande à Stalingrad.
16 février	Instauration du Service du travail obligatoire.
27 mai	Première réunion du Conseil national de la Résistance.
3 juin	Fondation à Alger du Comité français de libération nationale.
8 septembre	Capitulation de l'Italie.
17 septembre	Création d'une Assemblée consultative à Alger.

1944

2 juin	Création du Gouvernement provisoire de la République française.
6 juin	Débarquement allié en Normandie.

10 juin	Massacre d'Oradour-sur-Glane.
9 juillet	Libération de Caen.
21-23 juillet	Attaque du maquis du Vercors.
15 août	Débarquement allié en Provence.
19-25 août	Libération de Paris
23 novembre	Libération de Strasbourg.

1945

23 juillet	Ouverture du procès Pétain.
4-15 octobre	Laval jugé et exécuté.
8 mai	Capitulation du Reich.

BIBLIOGRAPHIE/FILMOGRAPHIE

L'historiographie de l'Occupation est abondante, diversifiée, et elle a considérablement évolué depuis les premières synthèses des années 1950. On ne donne ici que quelques titres d'ouvrages français récents, fondés sur des sources naguère inaccessibles. Pour plus d'informations, voir les bibliographies publiées par le *Bulletin de l'Institut d'histoire du temps présent* (CNRS).

La filmographie recense chronologiquement un échantillon parmi les 200 œuvres françaises – soit 7% de la production totale de fictions et documents – qui ont eu pour cadre, depuis 1945, la Seconde Guerre mondiale. Un choix subjectif de films qui ont marqué, par leur qualité, leur popularité, leur caractère «officiel» ou, au contraire, de «scandale».

Ouvrages généraux

Résistants et collaborateurs, *L'Histoire* n°80, juillet 1985.
Henri Amouroux, *La Grande histoire des Français sous l'Occupation*, 9 vol., Paris, Laffont, 1976-1992.
Jean-Pierre Azéma, *De Munich à la Libération, 1938-1944*, Paris, Seuil, 1979.
Jean-Pierre Azéma, *1940 l'année terrible*, Paris, Seuil, 1990.
François Bédarida et Jean-Pierre Azéma, avec Denis Peschanski ct Henry Rousso (dir), *Le Régime de Vichy et les Français*, Paris, Fayard/IHTP, 1992.
Jean-Louis Crémieux-Brilhac, *Les Français de l'an 40*, 2 vol., Paris, Gallimard, 1990.
Yves Durand, *La France dans la 2e guerre mondiale 1939-1945*, Paris, Colin, 1989.
André Kaspi, *Les Juifs pendant l'Occupation*, Paris, Seuil, 1991.
Serge Klarsfeld,*Vichy-Auschwitz*, 2 vol., Paris, Fayard, 1983-1985.
Pierre Laborie, *L'Opinion française sous Vichy*, Paris, Seuil, 1990.
Robert Paxton, *La France de Vichy 1940-1944*, Paris, Seuil, 1973.

Biographies

Daniel Cordier, *Jean Moulin, l'inconnu du Panthéon*, 2 vol., Paris, Lattès, 1989.
Marc Ferro, *Pétain*, Paris, Fayard, 1987.
Fred Kupferman, *Laval*, Paris, Balland, 1987.
Jean Lacouture, *De Gaulle*, 3 vol., Paris, Seuil, 1984-1986.

Culture et vie quotidienne

Serge Added, *Le Théâtre dans les années Vichy 1940-1944*, Paris, Ramsay, 1992.
Jean-Pierre Bertin-Maghit, *Le Cinéma sous l'Occupation*, Paris, Orban, 1989.
Henri Noguères, *La Vie quotidienne des résistants de l'Armistice à la Libération (1940-1945)*, Paris, Hachette, 1984.
Gilles et Jean-Robert Ragache, *La Vie quotidienne des écrivains et des artistes sous l'Occupation 1940-1944*, Paris, Hachette, 1988.
Jean-Pierre Rioux et alii, *La Vie culturelle sous Vichy*, Bruxelles, Complexe, 1990.
Alfred Sauvy, *La Vie économique des Français de 1939 à 1945*, Paris, Flammarion, 1978.
Dominique Veillon, *La Mode sous l'Occupation*, Paris, Payot, 1990.

Ouvrages iconographiques

Images de la France de Vichy, Paris, La Documentation française, 1988.
Résistances 1940-1945, *La Documentation photographique*, n° 6106, avril 1990.
Vichy 1940-1944, *La Documentation photographique*, n° 6102, août 1989
Pierre Bourget, Charles Lacretelle, *Sur les murs de Paris et de France, 1939-1945*, Paris, Hachette, 1980.
Laurent Gervereau, Denis Peschanski (dir), *La Propagande sous Vichy 1940-1944*, Paris, BDIC, 1990.
Pierre Miquel, *39-45. Mille images inédites des archives militaires*, Paris, Chêne, 1985.
Gilles Perrault, *Paris sous l'Occupation*, Paris,

Belfond, 1987.
Françoise Renaudot, *Les Français et l'Occupation*, Paris, Laffont, 1975.

Filmographie

René Clément, *La Bataille du Rail*, 1945.
René Clément, *Le Père tranquille*, 1946.
Jean-Paul Le Chanoy, *Au cœur de l'orage*, 1948.
Jean-Pierre Melville, *Le Silence de la Mer*, 1948.`
Alain Resnais, *Nuit et Brouillard*, 1955.
Claude Autant-Lara, *La Traversée de Paris*, 1956.
Christian-Jaque, *Babette s'en va-t-en guerre*, 1958.
Henri Verneuil, *La Vache et le Prisonnier*, 1959.
Jean Dewever, *Les Honneurs de la guerre*, 1960.
Armand Gatti, *L'Enclos*, 1960.
Jean Renoir, *Le Caporal épinglé*, 1962.
Henri Verneuil, *Week-end à Zuydcoote*, 1964.

Claude Berri, *Le Vieil Homme et l'enfant*, 1966.
Gérard Oury, *La Grande Vadrouille*, 1966.
René Clément, *Paris brûle-t-il?* 1967.
Jean-Pierre Melville, *L'Armée des Ombres*, 1969.
Marcel Ophuls, *Le Chagrin et la Pitié*, 1969.
Michel Mitrani, *Les Guichets du Louvre*, 1973.
Costa-Gavras, *Section spéciale*, 1974.
Louis Malle, *Lacombe Lucien*, 1974.
Claude Lelouch, *Le Bon et les Méchants*, 1975.
Joseph Losey, *Monsieur Klein*, 1976.
François Truffaut, *Le Dernier Métro*, 1980.
Jean-Marie Poiré, *Papy fait de la Résistance*, 1983.
Claude Lanzmann, *Shoah*, 1985.
Louis Malle, *Au revoir les enfants*, 1987.
Marcel Ophuls, *Hôtel Terminus*, 1988.
Claude Chabrol, *Une affaire de femme*, 1988.
Claude Berri, *Uranus*, 1991.
Pierre Beuchot, *Hôtel du Parc*, 1991.

RÉFÉRENCES DES CITATIONS

CHAPITRE I

p. 13   M. Bloch, *L'Etrange Défaite*, Paris, Gallimard (coll. Folio/Histoire), 1990, p. 206 (1re éd. 1946).

p. 14   J. Benoist-Méchin, *A l'épreuve du temps. Souvenirs*, tome I : 1905-1940, présenté par E. Roussel, Paris, Julliard, 1989, p. 318.

p. 17   «Tout ça, ça fait d'excellents Français», G. van Parys, J. Boyer, 1939.

p. 21   Goebbels, cité par H.-A. Jacobsen, *Der Zweite Weltkrieg. Grundzüge der Politik und Strategie in Dokumenten*, Francfort, 1965, p. 180.

p. 29   Weygand et Pétain, cités par J.-P. Azéma, *De Munich à la Libération*, pp. 66-67.

CHAPITRE II

p. 37   J. Guéhenno, *Journal des années noires (1940-1944)*, Paris, Gallimard, 1947, p. 33.

p. 38   R. Gillouin, dans *France 1941. La Révolution nationale constructive*, Paris, Alsatia, 1941.

p. 47   P. Drieu la Rochelle, *Journal 1939-1945*, présenté par J. Hervier, Paris, Gallimard, 1992, p. 275.

p. 51   J. Cassou, *La Mémoire courte*, Paris, Editions de Minuit, 1954, p. 32.

p. 52   R. Willy, dans *Hommages au maréchal Pétain*, Le Nouvelliste, 1943.

p. 53   «Bel-Ami», T. Mackeben, L. Potérat, 1941.

p. 58   Rapport sur le Contrôle de l'opinion, 17 octobre 1941, cité par D. Peschanski, dans *Vichy*, 1940-1944 .

p. 59   J. Texcier, «Conseils à l'Occupé», coll. IHTP.

CHAPITRE III

p. 62   E. Jünger, *Journal, I, 1941-1943*, Paris, Julliard, 1951, pp. 38-39.

p. 64   J. Galtier-Boissière, *Mon journal pendant l'Occupation*, Garas, La Jeune Parque, 1944, p. 73.

p. 65   A. Bobkowski, *En guerre et en paix. Journal 1940-1944*, trad. L. Dyèvre, Montricher, Les Éditions Noir sur Blanc, 1991, p. 176.

p. 66   M. Bood, *Les Années doubles. Journal d'une lycéenne sous l'Occupation*, Paris, Robert Laffont, 1974, p. 70.

p. 70   J. Galtier-Boissière, op. cit., p. 92

pp. 72/73   Brochure de l'Exposition des Economies de matières et des produits de remplacement, Paris, 19 juin-19 juillet 1943.

p. 76   *Votre Beauté*, cité par D. Veillon (voir bibliographie) p. 228.

p. 79   *Les Inconnus dans la maison*, cité par J.-P. Bertin-Maghit, dans J. Tulard, *Guide des films*, Paris, Laffont, 1990.

CHAPITRE IV

p. 87   H. du Moulin de Labarthète, cité par D. Peschanski, «Les statuts des Juifs du 3 octobre 1940 et du 2 juin 1941», dans S. Klarsfeld (dir), *Il y a 50 ans : Le Statut des juifs de Vichy*, Paris, CDJC, 1991, p. 26.

p. 92   Le directeur de la police municipale, cité par S. Klarsfeld,*Vichy-Auschwitz* (voir bibliographie), tome 1, p. 273.

p. 93   A. Muller, *La Petite Fille du Vel d'Hiv*, Paris, Denoël, 1992, pp. 86-87

p. 96   Lettre au CGQJ, Paris, Centre de documentation juive contemporaine.

p. 97   H. Knochen, cité par S. Klarsfeld, *op. cit.*, p. 106.

p. 98   G. Wellers, *Le Monde*, 23 octobre 1979.

p. 101   H. Hertz, «Le procès Pétain. Les juifs à la barre», *La Terre retrouvée*, n° 16, 25 août 1945.

CHAPITRE V

p. 103   Ch. Rist, *Une saison gâtée. Journal de la guerre et de l'Occupation (1939-1945)*, Paris, Fayard, 1983.

p. 107   Cavanna, *Les Russkoffs*, Paris, Belfond, 1979, p. 41.

p. 107   Louis D., cité par D. Veillon, «La vérité sur le STO», *L'Histoire*, n° 80, juillet 1985, p. 108.

p. 109   L. Aubrac, *Ils partiront dans l'ivresse.* Lyon, mai 1943, Londres, février 1944, Paris, Le Seuil, 1984, p. 8.

p. 112   J. Moulin cité par D. Cordier (voir bibliographie), tome 1, p. 51.

p. 115   Ph. Henriot, cité par J. Delperrié de Bayac, *Histoire de la Milice, 1918-1945*, Paris, Fayard, 1969, p. 349.

p. 116   Ch. de Gaulle, *Mémoires de guerre. Le Salut, 1944-1946*, Paris, Plon, 1959, p. 3.

p. 117   Ch. de Gaulle, *Mémoires de guerre. L'Unité, 1942-1944*, Paris, Plon, 1956, p. 378.

p. 119   *L'Humanité*, citée par F. Kupferman, *Les Premiers Beaux-Jours, 1944-1946*, Paris, Calmann-Lévy, 1985, p. 94.

p. 123   P.-H. Teitgen, *Les Cours de justice*, Paris, Le Mail, 1946, p. 16.

TEMOIGNAGES ET DOCUMENTS

p. 130   Adrien Printz, *Soldats sans emploi (1939-1940), suivi de Chronique lorraine (1940-1944)*, Association «LesAmis d'Adrien Printz», Serémange-Erzange, 1989.

p. 136   Anne Jacques, *Journal d'une Française*, Editions du Seuil, 1946.

p. 140   Marie-Thérèse Gadala, *A travers la Grande-Grille, mai 1940 à octobre 1941*, Editions du Grand siècle, Paris, 1946.

p. 142   Micheline Bood, *Les Années doubles, Journal d'une lycéenne sous l'Occupation*, Paris, Robert Laffont, 1974.

p. 148   *Journal d'un honnête homme pendant l'Occupation (juin 1940–août 1944)*, présenté et annoté par Jean Bourgeon, Thonon-les-Bains, Editions de l'Albaron, 1990.

p. 154   Charles Rist, *Une saison gâtée. Journal de la guerre et de l'occupation (1939-1945)*, présenté par Jean-Noël Jeanneney, Fayard, 1983.

p. 156   Paule-Marie Weyd, *Journal d'une aide-assistante rurale*, Editions des loisirs, Paris, 1944.

p. 158   Jacques Biélinky, *Journal (1940–1942). Un journaliste juif à Paris sous l'Occupation,* présenté par Renée Poznanski, Paris, Les Editions du Cerf, 1992.

p. 162   Raymond-Raoul Lambert, *Carnet d'un témoin (1940-1943)*, présenté par Richard Cohen, Fayard, 1985.

p. 164   Andrzej Bobkowski, *En guerre et en paix. Journal 1940-1944*, traduit du polonais par Laurence Dyèvre, Les Editions Noir sur Blanc, Montricher, Suisse, 1991.

p. 170   Fernand Picard, *Journal clandestin,* Archives de l'IHTP.

p. 176   «Correspondance d'un L.V.F. et S.S. français», réunie par Claude Delpla, *Bulletin de la Société Ariégeoise, Sciences, Lettres, Arts*, tome XXIII, 1967.

p. 178   *Honoré d'Estienne d'Orves, Pionnier de la Résistance. Papiers, carnets et lettres*, présentés par Rose et Philippe H. d'Estienne d'Orves, Editions France-Empire, 1985.

p. 179   *Lettres de fusillés*, Editions France d'abord, 1946.

p. 180   Boris Vildé, *Journal et lettres de prison* (1941-1942), présentés par F. Bédarida et D. Veillon, Cahiers de l'IHTP, n° 7, février 1988.

TABLE DES ILLUSTRATIONS

INDEX

CRÉDITS PHOTOGRAPHIQUES

REMERCIEMENTS

L'auteur et les Editions Gallimard remercient Jean Astruc pour sa patience et sa compétence, et Anne-Marie Pathé, responsables de la bibliothèque de l'Institut d'histoire du temps présent; Marc Knobel, Jean Laloum et Sarah Mimoun du Centre de documentation juive contemporaine; Laure Barbizet, Thérèse Blondet-Bisch, Fabienne Dumont et Laurent Gervereau du musée d'Histoire contemporaine/bibliothèque de Documentation internationale contemporaine; Eric Lafon du musée de l'Histoire vivante de Montreuil; Monsieur Maurice H. Bood ainsi que Kathy Hazan, Denis Peschanski, Renée Poznanski et Anne Simonin.
Béatrice Peyret-Vignals a assuré la lecture-correction du corpus de l'ouvrage.

Table des matières